tbal Fußball fútbol futebol futb
lkapallo sokker nogomet jalgp
otbal football soccer calcio vo
utbol futball fotboll voetbal fot
gpall Pêl-droed sepak bola Fót
cio voetbal fotbal futbal Fußba
etbal fotball fodbold jalkapall
ak bola Fótbolti futbolas fotbal
tbal Fußball fútbol futebol futb
lkapallo sokker nogomet jalgp
otbal football soccer calcio vo
utbol futball fotboll voetbal fot
gpall Pêl-droed sepak bola Fót
cio voetbal fotbal futbal Fußba
etbal fotball fodbold jalkapall
ak bola Fótbolti futbolas fotbal
tbal Fußball fútbol futebol futb
lkapallo sokker nogomet jalgp
otbal football soccer calcio vo
utbol futball fotboll voetbal fot
gpall Pêl-droed sepak bola Fót
cio voetbal fotbal futbal Fußba
etbal fotball fodbold jalkapall

1000 camisetas de fútbol

Importado, publicado y editado en México en 2013 por / Imported, published and edited in Mexico 2013 by: Advanced Marketing, S. de R.L. de C.V. Calzada San Francisco Cuautlalpan, Naucalpan, Edo. de México, C.P. 53569
Título original / Original Title: 1000 Football Shirts / 1000 Camisetas de Fútbol
Fabricado e impreso en Singapur en agosto 2013 por / Manufactured and printed in Singapore in August 2013 by: Tien Wah Press. 4 Pandan Crescent, Singapore 128475
Primera edición en español, agosto de 2013

Concepto original / Marçais&Marchand
Dirección editorial /Nicolas Marçais
Dirección de arte /Philippe Marchand
Autor /Bernard Lions
Formación /Marion Alfano
Editor /Nicolas Camus
Diseño de camisetas /Lise Bonneau, Marion Alfano
Correctores de pruebas /Jonah Fontela, Aurélie Gaillot
Traducción /Hugo Ibáñez, Arlette de Alba

ISBN: 978-607-618-076-1
13 12 11 10 9 8 7 6 5 4 3 2 1

Agradecimientos
olo.éditions desea agradecer a todos los titulares de las marcas registradas de los elementos visuales reproducidos en esta obra. Asimismo, gracias a Thierry Freiberg, David Ausseil y Charles-Henry Contamine por su ayuda. El autor desea agradecer a Patrick Battiston (Francia), Cyprien Cini (Francia, RTL), Bruno Constant (Inglaterra), Garance Ferreaux (Francia, M6), Eric Frosio (Brasil), Stéphane Guy (Francia, Canal +), Franck Le Dorze (Francia, L'Equipe), Bixente Lizarazu (Francia), Roque Gastón Maspoli (Uruguay), Jean-Pierre Papin (Francia), Sergei Polkhovski (Ucrania), Johnny Rep (Holanda), Jean-Michel Rouet (Francia, L'Equipe), Alexis Menuge (Alemania), Manuel Queiros (Portugal), Florent Torchut (Argentina) y Marie Yuuki (Japón).

Preámbulo

Con el fin de asegurar una apariencia homogénea, todas las camisetas se han rediseñado de la manera más realista posible. En los casos en que una camiseta en particular fue utilizada durante una temporada que abarca dos años del calendario, las fechas que aparecen en los pies de ilustración se refieren al año en que terminó la temporada (por ejemplo, «2013» en lugar de «2012-2013»). Para la lista de galardones, el recuento termina con el final de la temporada 2012-2013.Los galardones internacionales y continentales sólo incluyen los resultados logrados en las siguientes competiciones: Copa Mundial de la FIFA, Copa Confederaciones de la FIFA, Copa América, Campeonato Panamericano, Juegos Olímpicos, Campeonato de Europa de la UEFA, Copa de Oro, Copa Africana de Naciones, Copa Asiática, Copa Mundial Femenina de la FIFA, UEFA Champions League (incluyendo la anterior Copa Europea), Copa de Liga de la UEFA (incluyendo las anteriores Copa UEFA y Copa de Ferias), Copa de Clubes Ganadores de Copa de la UEFA (Recopa), Supercopa de la UEFA, Copa Intercontinental, Copa Mundial de Clubes de la FIFA, Copa Libertadores, Supercopa Libertadores, Recopa Sudamericana, Copa Sudamericana y Copa CONMEBOL.
En la primera sección del libro, el orden en que aparecen las selecciones nacionales se basa primero y ante todo en su desempeño en la Copa Mundial, y enseguida en los demás torneos internacionales.
El orden en el que aparecen los clubes se basa primero y ante todo en su desempeño en los torneos internacionales.
En la segunda sección del libro, las naciones se enumeran de acuerdo con la posición definida por la Federación Internacional de Historia y Estadística de Fútbol (IFFHS, por sus siglas en inglés).
Los nombres de los clubes que se utilizan en el libro son los que usa la FIFA en su sitio de internet.
En caso de que el lector descubriera algún error, no debe dudar en señalarlo al HYPERLINK «mailto:contact@oloeditions.com»contact@oloeditions.com con el fin de que sea corregido en ediciones futuras.

1000 camisetas de fútbol

Bernard Lions

Cada una de mis 3,000 camisetas es única

Prólogo

Puedo recordar mi primera camiseta de fútbol como si fuera ayer: la conseguí el día del histórico debut en la primera división del Montpellier contra el Auxerre, el 24 de julio de 1981 (0-0). De niño había soñado con ver jugar a los futbolistas y pedirles su autógrafo. Y entonces, simplemente sucedió. Le rogué a Víctor Trossero, nuestro goleador argentino, que le preguntara a Andrzej Szarmach, del Auxerre, si me daría su camiseta. El delantero polaco en persona se me acercó al final del partido y me la entregó.

En retrospectiva, realmente debería haber iniciado mi colección desde 1974, cuando asumí la presidencia del club, y no conformarme sólo con camisetas del Montpellier.

Hoy en día tengo más de 3,000, entre ellas dos utilizadas por Pelé, tres que pertenecieron a Alfredo Di Stefano en sus días del Real Madrid, una de Francisco Gento, una de Ferenc Puskás y varias de Diego Maradona. Las desentierro en subastas por toda Europa. Por ejemplo, gasté 18,000 euros en una camiseta utilizada por David Beckham cuando anotó el penalti en la victoria 1-0 de Inglaterra contra Argentina en el Mundial de 2002 (el 7 de junio).

También tengo «proveedores» que no me cobran nada. Michel Platini me ha dado montones. La que más atesoro es la suya, por supuesto. Pero debería señalar que sólo me gustan las camisetas que de hecho han sido usadas. Veo con un poco de desconfianza las camisetas que me envían amablemente autografiadas por todos los jugadores, porque me temo que provienen directamente de la tienda del club. Desde mi punto de vista, realmente no valen nada, mientras que una que ha sido usada durante un partido es única. Cuando consigo camisetas del trío de Beckham, Zlatan Ibrahimovic y Salvatore Sirigu del Paris Saint-Germain, realizo una minuciosa inspección, verificando que los jugadores realmente las hayan sudado al usarlas. Lo mismo pasa cuando las compro: exijo un certificado de autenticidad.

Después, dos empleados se ocupan de enmarcarlas y colocarlas para su exhibición en mi casa de campo en Marsillargues, al sur de Francia. Mis camisetas ocupan dos salas de 110 por 40 metros. Tengo carritos de golf en la planta baja y en la superior, para ir y echarles un vistazo más a menudo. Pero el momento más emocionante es cuando las recibo, porque nunca puedo estar realmente seguro de que les pondré la mano encima. La competencia es intensa. Soy uno de cinco o seis coleccionistas importantes, y eso sólo en Francia. El que vive en París es una verdadera amenaza. Pero aún no se las ha arreglado para arrebatarme mi camiseta soñada, la que utilizó el portero de la URSS Lev Yashin. Aunque debería decir que yo tampoco la tengo. Como no tengo una perteneciente a Sir Stanley Matthews, quien fue el primer ganador del premio al Futbolista Europeo del Año, en 1956. Sólo tengo uno de los tacos de su zapato... por ahora.

Louis NICOLLIN
Presidente del Montpellier
(ganadores de la Copa de
Francia en 1990 y campeones
franceses en 2012) desde el
5 de noviembre de 1974

Índice

Mi vida por una camiseta

Con una taza de café en la mano, alcanzo a ver el objeto de mi deseo, la camiseta, a través de la ventana de la sala. Esta mañana, después de un rudo encuentro durante el cual recibió un verdadero baño de lodo y jaloneos por aquí y por allá, está disfrutando de un descanso muy necesario en el tendedero de ropa en un rincón de nuestro jardín. Comienzo a imaginar a su dueño quitándosela y entregándomela. Pero esto no sucederá. Y nunca le pediré su camiseta.

Comienzo a soñar con tiempos pasados, una era con la que no están familiarizados los lectores más jóvenes, cuando las esposas aún colgaban las camisetas de las ventanas para secarse, mientras sus esposos futbolistas ofrecían pensión y alojamiento a los periodistas. Habría varios de nosotros, los reporteros jóvenes, con el ojo puesto ansiosamente en ese glorioso pedazo de tela, con un nudo en el estómago. Y aunque nos sentíamos miserables cuando terminábamos con las manos vacías, no perdíamos la esperanza.

No conservé nada de esos primeros tiempos bohemios, algo de lo que ahora me arrepiento. Más que el prestigio de la camiseta, lo que quería proteger era el recuerdo del hombre que la llevaba. Porque, como todo el mundo sabe, no hay nada más engañoso que la memoria.

Y entonces, una noche, me dieron mi primera camiseta. Sintiendo que yo compartía su pasión, Louis Nicollin, presidente del Montpellier, depositó en mis manos la camiseta que llevaba Laurent Robert, quien acababa de anotar el gol de la victoria en su debut en el club. Un gesto muy generoso de Nicollin. Gracias, señor presidente.

Otra noche, después de un partido en el Parc des Princes, un jugador de Le Havre se acercó a mí. Con timidez, sacó su camiseta del maletín para dármela. Dudaba en hacerlo, porque estaba sucia. El incorregible Dhorasoo. Gracias, Vikash.

Una mañana, Patrick Battiston insistió en que lo visitara en la academia juvenil que dirige para el Bordeaux. Y me ofreció su camiseta del partido inaugural de Francia contra Inglaterra en la Copa Mundial de 1982. Por la noche, me invitó a cenar para que conociera a su esposa...quería que ella le confirmara que yo merecía tener la camiseta. Un gran tipo, Battiston. Muchas gracias, Patrick.

Durante más de 20 años, mi vida ha girado en torno a las camisetas de fútbol. Y sin embargo, no soy un fetichista o un materialista, ni siquiera un gran coleccionista. Pero me encantan las camisetas... eso es todo. Me gustan sus colores, sus escudos y sus leyendas, al igual que el aroma y las historias que transmiten. Una camiseta representa un instante de eternidad, es un testimonio de gran alegría y del dolor más cruel. Marca una época y es el símbolo de un amor compartido entre aficionados y jugadores.

Podría pasar horas y horas de pie delante de mi armario, haciendo un recuento de la vida de cada una. En cambio, he optado por escribirlo.

Bernard LIONS

Brasil
Italia
Alemania
Argentina
Uruguay
Francia
España
Inglaterra
México
URSS
Camerún
Japón
Holanda
Estados Unidos
FC Barcelona
AC Milan

170 camisetas legendarias

Boca Juniors
Real Madrid
Ajax
Liverpool
Juventus
Internazionale
Bayern München
Santos
FC Porto
Manchester United
River Plate
Chelsea
Borussia Dortmund
Benfica
Olympique de Marseille
Paris Saint-Germain

Las camisetas de fútbol: ¿una segunda piel?

Roger Milla no pudo contenerse. Cuando el silbato marcó el final de la histórica victoria de Camerún contra Argentina en el partido de Italia 90, el «León Indomable» corrió tras Maradona para pedirle su camiseta. A pesar de que acababa de sufrir una traumática derrota, el icono argentino se la ofreció de buen grado, con una sonrisa, colgándose la camiseta verde de Milla sobre los hombros.

Incluso para los mejores jugadores, unos de los hombres más ricos y adorados del mundo, una camiseta de fútbol agita las emociones. En las canchas de todo el mundo, los jugadores intercambian camisetas con sus oponentes. A veces después de una justa victoria, otra veces decaídos por la derrota, ¡y a veces incluso en el medio tiempo, con el resultado aún por decidir!

Es como si, en la psique colectiva de los jugadores y los amantes del fútbol, hacerse con la camiseta de un oponente brindara al nuevo portador parte del prestigio de su anterior propietario. Pero no es una cosa empapada de sudor que quedará en el olvido, porque estas camisetas se exponen en las casas, enmarcadas detrás de un vidrio. Por supuesto, en ocasiones se pierden o se regalan a alguien más, pero siguen siendo preciados símbolos de batallas pasadas.

Las camisetas son como una segunda piel, una armadura en la que los jugadores trascienden su fragilidad y sus fallas humanas para acumular fortunas y seguidores. En estas camisetas, estos uniformes, hombres y mujeres son idolatrados por naciones enteras. Siempre se espera que el futbolista haga honor a la camiseta y a sus poderes míticos, las esperanzas y los sueños que representa para los jugadores, los aficionados y ciudades y países enteros. «Juegan por la camiseta», «sudan la camiseta» y siempre deben «respetar la camiseta».

Los jugadores sudan con ellas, a veces incluso sangran con ellas. Mientras que algunos abrazan un emblema tras otro –el símbolo de su lealtad al club, antes de venderse sin vacilación al día siguiente–, otros la arrastran por el suelo con un acto de traición. Rondan la infamia con tales actos, sabiendo que hacen una afrenta a los dioses.

De vez en cuando, los jugadores olvidan que la camiseta es algo sagrado. Merecen las tarjetas amarillas por quitarse las camisetas del pecho y arremolinarlas sobre sus cabezas para celebrar. Y aunque cada camiseta es única, no pesan lo mismo en los corazones de los hombres ni en los anales de la historia. Algunas quedan conectadas para siempre a los grandes jugadores que las llevaron –pensemos en Maradona y el azul claro del Nápoles, o Cruyff y su naranja intenso, o Zidane todo de brillante azul rey–. Las camisetas representan toda una era, recuerdos y sueños ardientes de partidos fabulosos y equipos inolvidables. Son la encarnación de la leyenda.

Brasil

Con base en la bandera

LA COPA MUNDIAL EVOCA DE INMEDIATO IMÁGENES DE BRASIL Y SU LEGENDARIO ATUENDO AMARILLO CON VIVOS VERDES. PERO *LA SELEÇÃO* NO SIEMPRE SALTÓ A LA CANCHA CON ESOS COLORES.

Los sudamericanos lucieron una camiseta blanca desde 1919 hasta la Copa del Mundo de 1950, la primera en que Brasil fue país anfitrión. Aunque por entonces un simple empate bastaba para asegurarles su primera corona mundial, Uruguay venció 2-1 en el estadio Maracanã en Río de Janeiro, el 16 de julio de 1950. El blanco se asoció rápidamente a lo que por largo tiempo el supersticioso pueblo brasileño consideró como una tragedia nacional, desolado por una derrota acuñada como el "Maracanaço" («el Golpe del Maracanã»). En consecuencia, La Seleção optó por el verde y amarillo de la bandera nacional, símbolos de la selva amazónica y la abundancia de oro del país. Aunque los brasileños también utilizan el azul, cuarto color de la bandera (el otro es el blanco), para sus pantalones y el uniforme alternativo, es la camiseta *Canarinha* con la que han disfrutado sus mayores momentos de gloria, llegando a sostener en alto cinco Copas Mundiales.

9

GALARDONES GLOBALES
5 Copas Mundiales de la FIFA
4 Copas Confederaciones de la FIFA

8

GALARDONES CONTINENTALES
8 Copas América

2002
Camiseta con la que ganó la Copa Mundial

1950
Camiseta de subcampeón de la Copa Mundial

1958
Camiseta con la que ganó la Copa Mundial

1962
Camiseta con la que ganó la Copa Mundial

1994
Camiseta con la que ganó la Copa Mundial

Brasil

Pelé, número 10 por casualidad

Los futbolistas no siempre jugaron con un número en la espalda, y mucho menos un nombre. Introducida en Inglaterra en los años 30, la numeración sistemática fue formalizada por la FIFA en el Mundial de 1954. Y no fue sino hasta el torneo de 1958 en Suecia cuando el número 10 se volvió emblemático, debido a un debutante de 17 años llamado Pelé y a un error burocrático de la AF brasileña. Antes de comenzar la competición, las autoridades futbolísticas de Brasil habían enviado la lista de los jugadores seleccionados, como se requería, pero olvidaron asignar los números de camiseta específicos. Un delegado uruguayo de la FIFA se hizo cargo, asignando con descuido la camiseta número 3 al portero titular, Gilmar, y la 10 al hasta entonces desconocido Pelé. Lesionado en las eliminatorias del encuentro global, Pelé haría su primera aparición durante el tercer partido, contra la URSS, y prosiguió anotando seis goles en cuatro partidos. Anotó tres veces en la victoria 5-2 contra Francia durante la semifinal, y dos veces contra Suecia en la final. Y así nació la leyenda del número 10. Por casualidad.

CIUDAD DE MÉXICO (MÉXICO), ESTADIO AZTECA
21 DE JUNIO DE 1970
Pelé celebra en brazos de Jairzinho después de llevar a Brasil a la victoria contra Italia en la final de la Copa Mundial.

El estadio más grande de todos los tiempos

El Estádio Jornalista Mário Filho, más conocido como el Maracanã, obtuvo un lugar en los libros de récords de fútbol durante la final de la Copa Mundial de 1950, cuando no menos de 199,854 aficionados llenaron a reventar el estadio. Desde entonces, la capacidad del Maracanã se ha reducido a 76,804 espectadores.

Italia

Verde, blanco, rojo = **Azul**

ITALIA, CUATRO VECES GANADORA DE LA COPA MUNDIAL, ES UNO DE LOS POCOS EQUIPOS QUE NO USA NINGUNO DE LOS COLORES DE SU BANDERA NACIONAL.

Conocido por la afición italiana como *La Nazionale*, el equipo fue rebautizado por los periodistas franceses como la *Squadra Azzurra* («el Equipo Azul») durante el Mundial de 1938, celebrado en Francia. Originalmente, Italia jugaba de blanco, uno de los tres colores de su bandera nacional (junto con el verde y el rojo). Jugaron de blanco su primer partido oficial internacional, el 15 de mayo de 1910, contra Francia, en la cancha de Milán. Ganaron 6-2. Pero apenas ocho meses después, jugando contra Hungría el 6 de enero de 1911, lucieron una camiseta de un color distinto: el azul. La elección parecía extraña, pero Italia eligió el color en honor de la Familia Real de la Casa de Saboya, cuyo color oficial es el azul. Y los italianos lo han mantenido, siendo conocidos desde entonces como los Azzurri. Todos los demás equipos nacionales italianos siguieron su ejemplo, adoptando el azul como su color. El blanco de antaño se utiliza como uniforme secundario, lo que permite a los italianos recordar sus orígenes deportivos.

5

GALARDONES GLOBALES
4 Copas Mundiales de la FIFA
1 Juegos Olímpicos

1

GALARDÓN CONTINENTAL
1 Campeonato de Europa de la UEFA

2006
Camiseta con la que ganó la Copa Mundial

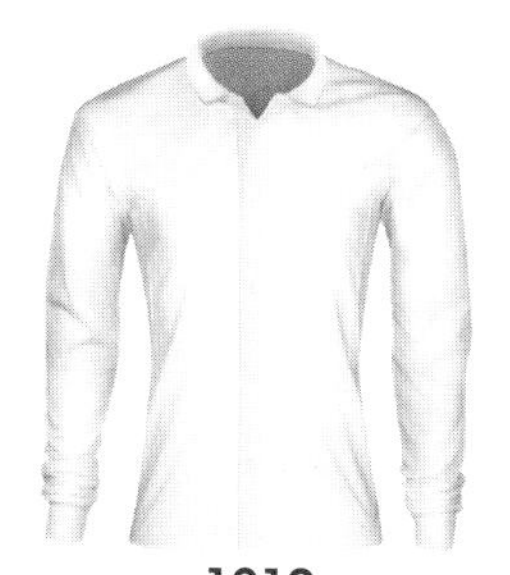

1910
Primera camiseta

1934-1938
Camiseta con la que ganó en dos ocasiones la Copa Mundial

1968
Camiseta con la que ganó el Campeonato de Europa

1982
Camiseta con la que ganó la Copa Mundial

BERLÍN (ALEMANIA), OLYMPIASTADION
9 DE JULIO DE 2006
El capitán de Italia, Fabio Cannavaro, levanta la cuarta Copa Mundial de su país, después de su victoria sobre Francia.

El caso de **Balotelli**

Conocido por sus anécdotas extravagantes durante su época en el Manchester City (de 2010 a enero de 2013), Mario Balotelli tiene una historia similar con el equipo nacional italiano. Durante un partido amistoso contra Uruguay, el martes 15 de noviembre de 2011 en el Stadio Olimpico de Roma, el delantero de los *Azzurri* salió en el medio tiempo con el uniforme equivocado. Llevaba una camiseta antigua, lo que suponía un problema ya que el partido se había organizado para promover el nuevo uniforme diseñado por Puma previamente a la EURO 2012. El árbitro no tardó en advertirlo. En la primera interrupción del juego, tras un encontronazo aéreo con el capitán de *La Celeste*, Diego Pérez, el árbitro pidió a Balotelli que se pusiera la misma camiseta que sus compañeros de equipo. En defensa de "Súper Mario", no es absurdo preguntarse cómo es que aún tenía la vieja camiseta en su vestuario y por qué ninguno de los técnicos advirtió el error.

"Soy italiano, me siento italiano, siempre jugaré para la selección italiana."

Mario Balotelli

VARSOVIA (POLONIA)
ESTADIO NACIONAL
28 DE JUNIO DE 2012
«Súper Mario» hace su pose distintiva después de anotar un segundo gol contra Alemania en la semifinal de la EURO 2012.

ITALIA
9

Alemania

Reunida y multiétnica

UNIFICADA NUEVAMENTE DESPUÉS DE LA CAÍDA DEL MURO DE BERLÍN EN 1989, LA *NATIONALMANNSCHAFT* APROVECHÓ UNA NUEVA LEY DE NACIONALIDAD PARA VOLVERSE MÁS MULTICULTURAL.

Aunque la bandera alemana es negra, roja y amarilla, el equipo nacional juega con los colores de la Prusia del siglo XIX: blanco con pantaloncillos negros. El águila, símbolo nacional desde el siglo XII, es una referencia al Sacro Imperio Romano. La separación tuvo lugar después de la Segunda Guerra Mundial, y desde 1949 hasta 1990 los dos equipos alemanes –RFA (occidental) y RDA (oriental)– utilizaron dos camisetas diferentes. En 1974, el Mundial se llevó a cabo en Alemania Occidental y los dos equipos jugaron uno contra otro en Hamburgo. Alemania Oriental ganó 1-0. Aunque la reunificación (3 de octubre de 1990) permitió que Matthias Sammer –un jugador que ganaría el título de Futbolista Europeo del Año en 1996– se convirtiera en el primer alemán oriental que jugara en la *Nationalmannschaft*, la nueva Alemania no logró recuperar su magia. La EURO 1996 sigue siendo el único torneo que han ganado desde la reunificación. Y las tres Copas Mundiales de Alemania fueron obtenidas por el sector occidental de la gran división. La derrota de Alemania 3-0 contra Croacia en el Mundial de 1998 obligó a una reformulación total del esquema nacional. La ley de nacionalidad del 1º de enero de 2000, que otorgaba la ciudadanía a todas las personas nacidas en el país, ha permitido el surgimiento de jóvenes jugadores de segunda generación como Boateng, Khedira y Özil.

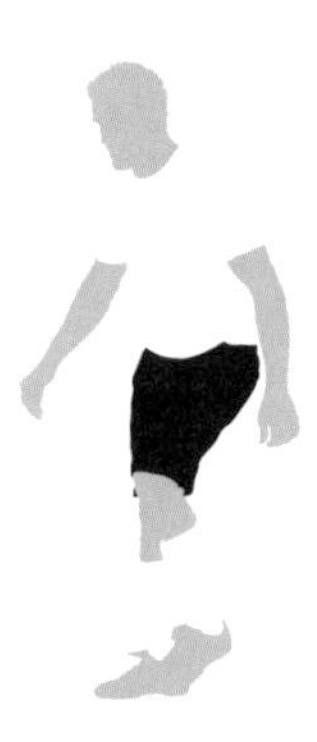

4

GALARDONES GLOBALES
3 Copas Mundiales de la FIFA
1 Juegos Olímpicos (RDA)

3

GALARDONES CONTINENTALES
3 Campeonatos de Europa de la UEFA

1990
RFA
Camiseta con la que ganó la Copa Mundia

1954
RFA
Camiseta con la que ganó la Copa Mundial

1974
RFA
Camiseta con la que ganó la Copa Mundial

1974
RDA
Camiseta utilizada durante la Copa Mundial

1996
Camiseta con la que ganó el Campeonato de Europa

13, de buena suerte para algunos

BERLÍN (ALEMANIA) OLYMPIASTADION
16 DE OCTUBRE DE 2012
Llevando el número 13 en la espalda, Thomas Müller fue designado el Mejor Novato en el Mundial de 2010 en Sudáfrica.

Todos los jugadores creen que sus pequeñas supersticiones y hábitos les brindan un toque extra en la cancha. A muy pocos, por ejemplo, les gusta llevar la camiseta número 13. En la cristiandad, el número 13 es sinónimo de Judas. El traidor de Jesús fue el 13º comensal en la mesa de la Última Cena.

Así que resulta extraño que en Alemania, donde dos tercios de la población son cristianos, los portadores de la camiseta número 13 hayan resultado muy afortunados. En 1954, Max Morlock, que llevaba el número 13, anotó seis goles en cinco partidos de la Copa Mundial en Suiza. Entre ellos estaba el gol que dio la vuelta al partido contra Hungría en la final del 4 de julio. Los alemanes iban abajo 2-0 y finalmente ganaron 3-2.

En el Mundial de 1970, Gerd Müller, que también llevaba la camiseta 13, anotó 10 goles en seis partidos. Cuatro años más tarde, el «Bombardero 13» anotó el gol de la victoria en la final, con lo que los anfitriones ganaron 2-1 contra Holanda, el 7 de julio de 1974. El gol, su catorceavo y el último en la Copa Mundial, lo hizo romper el récord de 13 goles (todos anotados en las finales de 1958) del francés Just Fontaine. El récord se mantuvo hasta 2006, cuando el brasileño Ronaldo se embolsó 15 goles. En 2002, Michael Ballack, con el número 13 en la espalda, anotó el único gol contra Estados Unidos en los cuartos de final y contra Corea del Sur en las semifinales. Ballack quedó suspendido para la final y Alemania perdió 2-0 contra Brasil el 30 de junio.

En el Mundial de 2010, la camiseta número 13 correspondió a Thomas Müller, de 20 años, que terminó el torneo como campeón goleador conjunto, con cinco goles, y también fue nombrado Mejor Novato.

HAMBURGO (ALEMANIA) VOLKSPARKSTADION
22 DE JUNIO DE 1974
El capitán de Alemania Occidental, Franz Beckenbauer, estrecha la mano de su contraparte de Alemania Oriental, Bernd Bransch, antes del único partido oficial jugado entre las dos naciones.

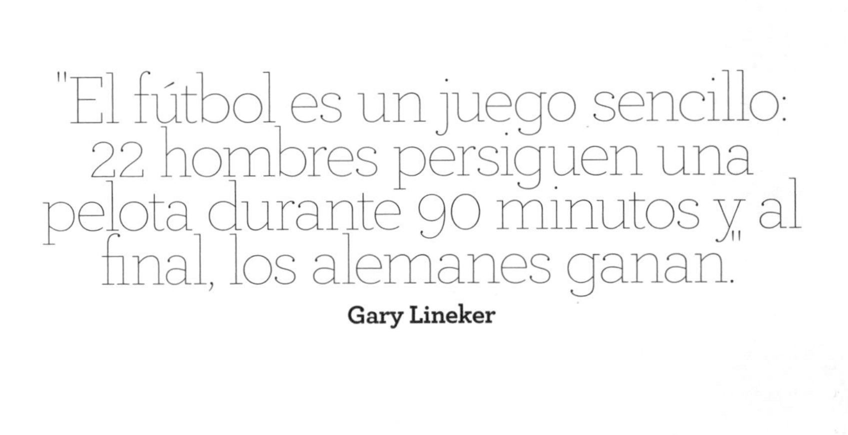

"El fútbol es un juego sencillo: 22 hombres persiguen una pelota durante 90 minutos y al final, los alemanes ganan."

Gary Lineker

MUNICH (ALEMANIA), OLYMPIASTADION

7 DE JULIO DE 1974

Gerd Müller es alzado en hombros después de su gol de la victoria contra los holandeses en la final de la Copa Mundial.

Argentina

El alfabeto **argentino**

HASTA LA COPA DEL MUNDO DE 1986, LA AF ARGENTINA HABÍA ADQUIRIDO EL HÁBITO DE ASIGNAR LOS NÚMEROS SEGÚN EL APELLIDO DE LOS JUGADORES. EL 10 QUE LLEVÓ EL LEGENDARIO MARADONA FUE UNA EXCEPCIÓN.

Entre las supersticiones y los tejemanejes de los vestidores, asignar los números de los jugadores se convierte a menudo en un dolor de cabeza para las autoridades futbolísticas. La Asociación del Fútbol Argentino (AFA) creyó encontrar una solución al problema: durante los mundiales de 1974, 1978 y 1982, los números se distribuían por simple orden alfabético, basándose en el apellido de cada jugador. Así, el número 1 fue para los centrocampistas ofensivos Norberto Alonso (más conocido como "Beto") en 1978, y Ossie Ardiles en 1982, y posteriormente al delantero Sergio Almirón en 1986. El portero Ubaldo Fillol recibió el 12, seguido del 5 y el 7 (la FIFA establece actualmente que el número 1 debe asignarse a un guardameta). Pero hubo algunas excepciones a esta regla propia de Argentina en 1982. Mario Kempes, número 13 en 1974, debería haber conservado el número 10 que tenía cuando su país se convirtió en campeón del mundo en 1978, lo cual habría significado que Maradona tendría el 12. Pero el pícaro icono nacional logró quedarse con el 10, y a Kempes le tocó finalmente el 11. El sistema prácticamente se vino abajo en México 1986. El capitán Daniel Passarella reclamó la camiseta número 6 con la que tan bien le había ido en su equipo local, mientras que Jorge Valdano pidió la 11. La AFA acabó por verse obligada a ceder ante los jugadores. Sin embargo fue para bien, ya que ese año el *Albiceleste* logró hacerse con el prestigioso trofeo por segunda vez.

5

GALARDONES GLOBALES

2 Copas Mundiales de la FIFA
1 Copa Confederaciones de la FIFA
2 Juegos Olímpicos

14

GALARDONES CONTINENTALES

14 Copas América

1986
Camiseta con la que ganó la Copa Mundial

1930
Camiseta de subcampeón de la Copa Mundial

1978
Camiseta con la que ganó la Copa Mundial

1994
Última camiseta portada por Maradona

2006
Primera camiseta usada por Messi durante un Mundial

Argentina

Desde Maradona hasta Messi

De pronto, los seguidores de Argentina presentes en el estadio de Hamburgo en la Copa Mundial de la FIFA dejaron de prestar atención a su joven número 10, Lionel Messi, que se esforzaba por superar el 2-1 contra un potente Costa de Marfil en el partido final del Grupo C del Mundial de 2006 (10 de junio). Tenían los ojos fijos en "El Diez", cuando las cámaras alemanas retransmitieron la llegada del gran Diego Armando Maradona a través de las pantallas gigantes del estadio. La multitud se estremeció y comenzó a entonar largos cánticos de alabanza: «¡Diego! ¡Diego!» Casi se olvidaron del partido. Hasta Lionel Messi, ningún jugador había logrado estar realmente a la altura de Maradona a los ojos del pueblo argentino, hasta el punto de que el 14 de noviembre de 2001, más de siete años después de su 91ª aparición en la victoria (4-0) contra Grecia, el 21 de junio de 1994, la AFA decidió retirar la camiseta número 10. Tras llegar a un acuerdo con el Comité Local Organizador de la Copa Mundial de 2002, la AFA presentó una lista de 23 jugadores, pero numerados del 1 al 24. Pero la FIFA la rechazó. Según el artículo 26, párrafo 4, del reglamento vigente, se requería que los jugadores utilizaran los números del 1 al 23. El presidente de la FIFA, Sepp Blatter, sugirió asignar el 10 a Roberto Bonano, el tercer portero suplente, pero finalmente se le adjudicó a Ariel Ortega, que ya había lucido el famoso número en Francia 1998. Posteriormente le siguieron Pablo Aimar y Juan Riquelme, pero fue el surgimiento de Messi, que debutó en un partido amistoso con Hungría el 17 de agosto de 2005, lo que por fin solucionaría el "problema". Messi es el único jugador al que Maradona -quien a su vez heredó el número 10 del gran Mario Kempes-, ve como su legítimo sucesor en la alineación nacional argentina.

CIUDAD DE MÉXICO (MÉXICO), ESTADIO AZTECA
22 DE JUNIO DE 1986
Diego Maradona rebasa con su salto al portero inglés Peter Shilton para anotar su famoso gol de «la mano de Dios» para Argentina, en los cuartos de final de la Copa Mundial.

PHILIPS

Después de evadir a seis oponentes y hacer una carrera de 60 metros, Maradona anota el «Gol del Siglo»

«Ahí la tiene Maradona. Le marcan dos. Pisa la pelota Maradona,

arranca por la derecha el genio del fútbol mundial. Puede tocar para Burruchaga.

¡Siempre Maradona! ¡Genio! ¡Genio! ¡Genio! ... Ta, tá, tá, tá... ¡Gooool!

¡Es para llorar, perdónenme! ¡Dios santo! ¡Viva el fútbol!

(Comentario de Víctor Hugo Morales, Radio Continental, Argentina).

Uruguay

Celeste con cuatro estrellas

PARA LOS URUGUAYOS, LA PRESENCIA DE CUATRO ESTRELLAS EN LA CAMISETA NACIONAL NO TIENE NADA DE RARO, A PESAR DE QUE *LA CELESTE* SÓLO HA GANADO DOS COPAS MUNDIALES.

Según la tradición futbolística, cada estrella simboliza la victoria en una Copa Mundial. Pero este pequeño país sudamericano, con una población de apenas 3.5 millones, únicamente tiene dos en su haber (en 1930 y 1950). No obstante, la razón por la que la FIFA eligió Uruguay como país anfitrión en el primer Mundial, en 1930, se debió a sus triunfos en dos Juegos Olímpicos consecutivos, en 1924 y 1928, el único torneo internacional de fútbol que existía por entonces. Los uruguayos lo consideran, por tanto, equivalente a haber ganado cuatro Copas del Mundo. Copiando a Brasil, el primer país que incluyó estrellas en su camiseta en 1970, añadieron cuatro a la suya en 2000. Pero la FIFA modificó sus reglas el 1º de abril de 2010, manifestando que los equipos nacionales podían lucir una estrella de cinco puntas por cada Copa Mundial ganada, “en el delantero de la camiseta a la altura del pecho, adyacentes al emblema de Miembro Oficial de la Asociación” (Artículo 16, Capítulo IV: Equipamiento de Juego). Uruguay eludió esta nueva regla ubicando las estrellas dentro del emblema, sin poner ninguna sobre él. *La Celeste* seguirá siendo, por tanto, un equipo de cuatro estrellas en el futuro inmediato.

4

GALARDONES GLOBALES
2 Copas Mundiales de la FIFA
2 Juegos Olímpicos

15

GALARDONES CONTINENTALES
15 Copas América

2011
Camiseta con la que ganó la Copa América

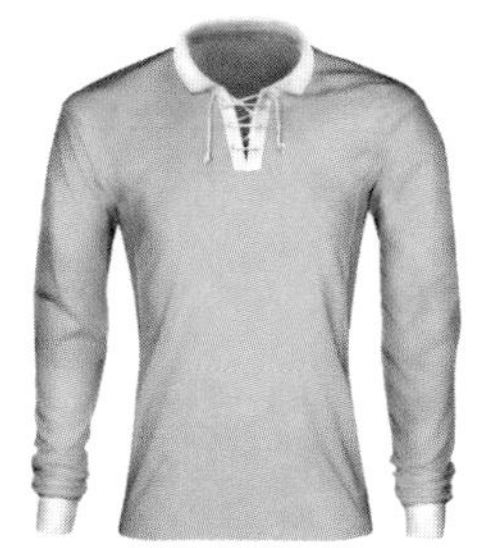

1930
Camiseta con la que ganó la Copa Mundial

1950
Camiseta con la que ganó la Copa Mundial

1995
Camiseta con la que ganó la Copa América

2002
Camiseta utilizada en la Copa Mundial

Uruguay

Maspoli, el hombre invisible

Roque Gastón Maspoli falleció el 22 de febrero de 2004, a los 86 años, del mismo modo que vivió su vida: en la sombra. A pesar de su prestigiosa trayectoria como portero de la selección de Uruguay, y después a la cabeza del Peñarol como el entrenador más capaz del país, a menudo no tenía electricidad en su modesto apartamento de Montevideo. Tenía muy poco dinero, pero conoció mejor fortuna en momentos previos de su vida, ganando de repente y por sorpresa la Copa Mundial, el 16 de julio de 1950, en el Estadio Maracanã de Río de Janeiro. En el minuto 89 de la final de Uruguay contra Brasil, un encuentro en el que el país anfitrión sólo necesitaba empatar para coronarse campeón del mundo por primera vez, surgió la oportunidad del empate para el equipo local, que perdía 2-1. Pero Maspoli se lanzó por el balón y lo desvió a la esquina, provocando el mayor drama en la historia del fútbol brasileño, conocido desde entonces como el "Maracanaço" (más detalles en la página 14). El delantero brasileño cuyo ataque frustró, no vio a tiempo que Maspoli interponía la mole de su cuerpo (94 kilos, 1.83 metros). "¿Y saben por qué?", explicó el portero antes del Mundial de 2002, "porque nunca llevé colores vivos. Atraen la vista. Al vestir de negro o marrón, a los delanteros les costaba ver mis movimientos. Tampoco podían usarme de guía para localizar la portería. Nunca entenderé por qué los guardametas de ahora usan colores brillantes. Al terminar mi carrera, me volví tan invisible como cuando jugaba de portero."

"Al vestir de negro o marrón, a los delanteros les costaba ver mis movimientos."

Roque Gaston Maspoli

RÍO DE JANEIRO (BRASIL), ESTADIO DO MARACANÃ
16 DE JULIO DE 1950
Roque Gastón Maspoli desvía la pelota sobre el madero para un tiro de esquina durante la final de la Copa Mundial contra Brasil.

El gallo que pone **huevos de oro**

CAMPEÓN DEL MUNDO POR PRIMERA VEZ EN 1998, FRANCIA ALCANZÓ OTRO LOGRO SIGNIFICATIVO EL 22 DE FEBRERO DE 2008, FIRMANDO EL ACUERDO DE UNIFORME NACIONAL MÁS LUCRATIVO JAMÁS REGISTRADO.

La firma deportiva alemana Adidas había sido el proveedor oficial de uniformes para *"Les Bleus"* desde 1972, pero no pudieron igualar la oferta de 42.66 millones de euros hecha por su rival Nike, a pesar de haber renegociado su colaboración en 2004 a la cifra de 10 millones al año. El acuerdo con Nike, que comenzó el 1º de enero de 2011 con validez hasta 2018, equivale a 320 millones de euros en siete años y medio, a los que la compañía americana añadirá un presupuesto anual de 2.5 millones en equipamiento para todos los equipos nacionales franceses, más bonificaciones según los resultados. En contraste, en abril de 2006 la marca con sede en Portland prolongó su acuerdo para proveer a Brasil hasta 2018 por 9.2 millones de euros al año (sin incluir bonificaciones). Otro fabricante alemán, Puma, renovó su colaboración con Italia en 2005, antes del cuarto triunfo de *La Nazionale* en la Copa del Mundo. El contrato, que habría expirado en diciembre de 2006, se extiende ahora hasta el final del Mundial de 2014, y se ha elevado de 9.7 millones a 16.25 millones de euros al año (incluyendo 1.5 millones en equipamiento), lo cual significa 130 millones de euros a lo largo de ocho años. Adidas se recuperó de su revés con Francia extendiendo los contratos con dos de sus socios históricos: España y Argentina.

4

GALARDONES GLOBALES
1 Copa Mundial de la FIFA
2 Copas Confederaciones de la FIFA
1 Juegos Olímpicos

2

GALARDONES CONTINENTALES
2 Campeonatos de Europa de la UEFA

1998
Camiseta con la que ganó la Copa Mundial

1904
Primera camiseta

1909-1914
Camiseta blanca con rayas azules y blancas

1958
Camiseta utilizada en la Copa Mundial

2000
Camiseta con la que ganó el Campeonato de Europa

Francia

Battiston, 28 años después

Cuando Rogelio Arias, el doctor de guardia, planteó la pregunta, Patrick Battiston no lo dudó un segundo. Aliviado y satisfecho de poder salir, le dio su camiseta al médico español, además de sus pantalones y calcetines, en la sala de urgencias del hospital de Sevilla. Tres horas antes, el número 3 francés yacía postrado en la cancha del Estadio Sánchez-Pizjuán, después de recibir una violenta acometida del portero de Alemania Occidental, Harald Schumacher, en el minuto 60 de la semifinal del Mundial de 1982. Retirado en camilla mientras Michel Platini, un buen amigo y compañero del Saint-Etienne, sostenía su mano, Battiston pasó un buen rato aturdido en el vestidor. "Sólo salí del estadio en ambulancia durante la serie de penaltis", recuerda el jugador. "Cuando llegué al hospital, un tipo con bata blanca me dijo: "No pasa nada, vas a recuperarte". Y luego dijo: "Llevas una camiseta estupenda". Es lo único que recuerdo de aquella noche", añade. Y siguió siendo su único recuerdo, hasta 2010. Battiston prosigue contando: "Una mañana, uno de mis dos hijos recibió un gran paquete. Estábamos intrigados, pero nos quedamos pasmados cuando lo abrimos, ¡era mi camiseta enmarcada! Creí que había desaparecido. No se me ocurrió que alguien la conservaría". O que Rogelio Arias se la había regalado al presidente del Sevilla. Mientras visitaba el club andaluz durante un partido de la Champions League en 2008, Michel Platini la vio por casualidad al pasar por el museo del club. Al ver la emoción que le causó, el presidente del Sevilla se la ofreció allí mismo. Pero Platini, padrino del hijo mayor de Battiston, no tenía intención de quedársela, y se la envió de vuelta a su viejo amigo. "Recuperar la camiseta 28 años después es una gran anécdota", dijo sonriente, encantado de ver su uniforme orgullosamente expuesto en la habitación de su hijo.

Por fin en casa.

(Siguiente, izquierda)
MARSELLA (FRANCIA), STADE VELODROME
23 JUNE 1984
Michel Platini corre para celebrar con sus compañeros de equipo después de anotar el gol de la victoria para Francia contra Portugal en la semifinal del Campeonato Europeo.

(Siguiente, derecha)
BRUSELAS (BÉLGICA), STADE DU ROI-BAUDOIN
28 DE JUNIO DE 2000
Dieciséis años después – también contra Portugal en la semifinal de la EURO– Zinédine Zidane imita a su predecesor en la celebración de su patada de penalti para el «gol de oro».

Gillette

EURO 2000
10

España

Al fin
los mismos colores

ANTES DE TRANSFORMARSE EN UNA FORMIDABLE MÁQUINA DE GANAR, ESPAÑA SUFRIÓ DURANTE MUCHOS AÑOS LA RIVALIDAD ENTRE LOS PARTIDARIOS DEL MADRID Y LOS DEL BARCELONA.

El fútbol español siempre ha tenido magníficos jugadores, como Alfredo Di Stefano, Futbolista Europeo del Año en 1957 y 1959, o Luis Suárez, que ganó el mismo título en 1960. Pero durante muchos años, *La Roja* (como se conoce a esta selección) estuvo a menudo relegada a una posición de importancia secundaria debido a las diferencias regionales. Debilitados por la rivalidad entre el Real Madrid, símbolo del sistema y la centralización de poder, y los representantes catalanes del Barcelona, cuyos seguidores se oponían al General Franco (1939-1975), los españoles rara vez jugaron y ganaron juntos. Esto cambió al poner a Luis Aragonés, nativo de Madrid, a la cabeza de la selección nacional en 2004. Aprovechando una generación excepcional de jugadores encabezada por Iniesta y Xavi, logró convencer a las estrellas del Madrid y el Barcelona para unirse con un objetivo común: la victoria. Después de ganar la EURO 2008, Aragonés dio paso al antiguo entrenador de los Galácticos, Vicente del Bosque, que continuó la obra iniciada por su antecesor para conducir a España a una gloria aún mayor en el Mundial de 2010 y la EURO 2012, la primera vez que una nación lograba una hazaña semejante.

2

GALARDONES GLOBALES
1 Copa Mundial de la FIFA
1 Juegos Olímpicos

3

GALARDONES CONTINENTALES
3 Campeonatos de Europa de la UEFA

2012
Camiseta con la que ganó el
Campeonato de Europa

1950
Camiseta utilizada en
la Copa Mundial

1964
Camiseta con la que ganó el
Campeonato de Europa

1984
Camiseta de subcampeón del
Campeonato de Europa

2010
Camiseta utilizada en
la Copa Mundial

Los nombres de **Villa Y Ramos**

No fue hasta la temporada de 1996/1997 cuando la UEFA exigió que sus clubes imprimieran el nombre y número de cada jugador en la espalda de su camiseta. Algunos jugadores, en lugar de poner su apellido completo, eligieron lucir solamente el primero, como fue el caso de David Villa (Sánchez), el máximo goleador de España, y su compañero de equipo internacional, Sergio Ramos (García). Igual que, para distinguirse de Mahamadou Diarra, de Mali, que había llegado tres años antes al Real Madrid (en 2006), el centrocampista Lassana Diarra escogió la abreviatura "Lass". Otros le dieron un enfoque distinto: al comenzar la campaña de 1996-1997, el Futbolista del Año 1991 Jean-Pierre Papin hizo grabar sus iniciales (J.P.P.) sobre el 27 (2+7=9) en su camiseta del Bordeaux. Waïti, el mayor patrocinador del Bordeaux, aprovechó para ofrecer una camiseta de J.P.P. gratis con la compra de varios cartones de jugo de frutas, pero las autoridades futbolísticas francesas no tardaron en poner fin a esta iniciativa de mercadotecnia. Para distinguirse de su padre, que fue un jugador internacional de México (1983-1994) apodado "Chícharo" Javier Hernández eligió estampar "Chicharito" en su espalda. Sebastián Abreu, en cambio, prefirió poner "El loco" antes de su apellido cuando llevaba el uniforme brasileño del Botafogo. Pero la FIFA vetó los intentos de Carlos Tevez para jugar la Copa Mundial de 2010 como "Carlitos", el nombre que le habían dado en el Boca Juniors y el Corinthians. Fueron igual de intransigentes con "Kun" Agüero y "Jonás" Gutiérrez. Las cosas ya habían llegado demasiado lejos.

CIUDAD DEL CABO (SUDÁFRICA), GREEN POINT STADIUM
29 DE JUNIO DE 2010
David Villa saluda a los aficionados inmediatamente después de anotar contra Portugal para impulsar a España a los cuartos de final de la Copa Mundial.

(Siguiente)
JOHANNESBURGO (SUDÁFRICA), SOCCER CITY STADIUM
11 DE JULIO DE 2010
Andrés Iniesta anota el único gol contra Holanda, asegurando la primera Copa Mundial de España.

adidas

Inglaterra

En el nombre **de la rosa**

ADEMÁS DE LOS TRES LEONES, TOMADOS DEL ESCUDO DE ARMAS DE RICARDO CORAZÓN DE LEÓN, LA CAMISETA DE INGLATERRA EXHIBE DIEZ ROSAS DE LOS TUDOR PARA SIMBOLIZAR LA UNIDAD ALCANZADA EN EL SIGLO XV.

Tan sólo desde 1966, Inglaterra ha cambiado de camiseta más de cuarenta y cinco veces. Pero el equipo ha mantenido el escudo de Ricardo Corazón de León desde su primer encuentro, librado el 30 de noviembre de 1872 contra Escocia (0-0). Habiendo gobernado como rey de 1189 a 1199, Ricardo I fue el epítome de la caballería y la realeza. Su escudo tomó la forma de tres leones de azur, uno encima del otro. Para la Asociación de Fútbol de Inglaterra, la más antigua del mundo (1863), era "un poderoso símbolo portado por el trono de Inglaterra durante las Cruzadas y apropiado para un equipo que se dirige al combate". Para distinguirse del escudo del equipo de críquet, añadieron el emblema floral de Inglaterra en 1949. Este era una rosa de los Tudor (roja con el centro blanco), símbolo de la unificación de las casas de Lancaster (rojo) y York (blanco), que se produjo cuando Enrique VII se casó con Isabel de York, poniendo fin a la Guerra de las Rosas (1455 - 1485). Mientras que el blasón del equipo inglés de rugby tiene solamente una, la versión futbolística tiene diez, una por cada liga dentro de la asociación, sobre campo de plata.

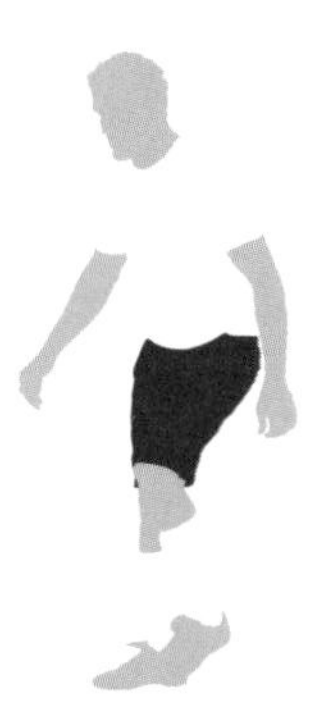

1

GALARDÓN GLOBAL
1 Copa Mundial de la FIFA

GALARDONES CONTINENTALES

1966
Camiseta con la que ganó la Copa Mundial

1872
Camiseta utilizada durante el primer partido internacional de fútbol

1930
Camiseta de visitantes, roja desde esta fecha

1935
Camiseta azul rey

2012
Camiseta utilizada durante el Campeonato de Europa

Inglaterra

Paul Ince,
el negro es tenacidad

Aunque aún se producen incidentes racistas con demasiada frecuencia en los estadios, el fútbol ha contribuido a cambiar la mentalidad del público. Esto ocurrió especialmente en Inglaterra cuando Paul Ince, aprovechando la ausencia de los capitanes habituales, Stuart Pearce y David Platt, fue el 97º jugador, y por añadidura el primer jugador negro, que llevó el brazalete de capitán de los Tres Leones. Fue en un partido amistoso contra Estados Unidos en Boston. Esa fecha, el 9 de junio de 1993, se volvió simbólica para la minoría negra en Inglaterra, ya que se les había negado por largo tiempo el acceso a la selección. Jack Leslie fue el primer jugador negro seleccionado en los años 20, pero la asociación canceló su nombramiento al darse cuenta de que el delantero del Plymouth Argyle era negro. Frank Soo fue el primer futbolista asiático que jugó por Inglaterra, pero eso no sucedió sino hasta la 2ª Guerra Mundial, y los partidos en tiempo de guerra no se consideran auténticas selecciones. Hubo que esperar hasta el 29 de noviembre de 1978 para ver a Viv Anderson convertirse en el primer jugador negro que representara a Inglaterra, en un partido contra Checoslovaquia. Y después Paul Ince se convirtió en el primer capitán negro en 1993, despejando el terreno a Sol Campbell (101º capitán de Inglaterra, por tres veces) y a Rio Ferdinand (107º, y también tres veces capitán). Tras llevar el brazalete siete veces y jugar 53 partidos entre 1993 y 1998, Ince también se convirtió en el primer entrenador negro en la Premier League, cuando se sentó en el área técnica en Blackburn en 2008.

ROMA (ITALIA)
STADIO OLIMPICO
11 DE OCTUBRE DE 1997
Un Paul Ince ensangrentado durante el partido de calificación para la Copa Mundial de 1998 contra Italia. Ahora la FIFA obliga a los jugadores a cambiarse la camiseta si se mancha de sangre.

UMBRO
ENGLAND
4
4
ENGLAND
UMBRO

El tributo de México
a sus ancestros aztecas

PESE A HABER SIDO DIEZMADOS POR LOS INVASORES ESPAÑOLES, LOS AZTECAS PERMANECEN MUY VIVOS EN EL CORAZÓN DE LOS MEXICANOS, QUE HONRAN EL MITO FUNDACIONAL DE SUS ANCESTROS EN EL ESCUDO DE SU EQUIPO NACIONAL.

La leyenda cuenta que el pueblo de los mexicas, llamados "aztecas" por los conquistadores españoles, recibió la orden de uno de sus dioses, Huitzilopochtli, de abandonar Aztlán, en el norte de México, y establecerse donde encontraría un águila posada sobre un nopal, devorando una serpiente. Ocho tribus marcharon durante doscientos años, hasta el día en que se cumplió la profecía en mitad de un lago. Los viajeros se secaron y fundaron Tenochtitlan en 1279, que llegaría a convertirse en la capital de un poderoso imperio que se extendía desde Texas hasta Honduras. La caída de México el 13 de agosto de 1521 no cambió nada. Aunque los españoles levantaron grandes estructuras sobre el suelo blando, el mito permaneció inalterable para muchos mexicanos, hasta el punto de figurar en la bandera nacional y en el uniforme que lleva *El Tri* (El Tricolor), apodo de su equipo debido a los tres colores nacionales del país: verde (por la esperanza), blanco (por la pureza) y rojo (por la sangre de los héroes). Al saludar a la bandera, los jugadores sitúan su mano junto al escudo, con la palma hacia abajo, en la esperanza de que un destello de magia azteca les ayude en la inminente batalla de 90 minutos.

2

GALARDONES GLOBALES
1 Copa Confederaciones de la FIFA
1 Juegos Olímpicos

9

GALARDONES CONTINENTALES
9 Copas de Oro

2013
Camiseta de local

1930
Primera camiseta utilizada en la Copa Mundial

1978
Camiseta de visitantes utilizada en la Copa Mundial

1994
Camiseta utilizada en la Copa Mundial

2006
Camiseta utilizada en la Copa Mundial

México

Campos, el más colorido de México

Cuando no guardaba la portería para su país, Jorge Campos marcaba goles para sus clubes. Las cifras exactas varían de un estadístico mexicano a otro, pero lo que queda claro es que anotó al menos 35 tantos en 16 años de carrera, y logró 14 de ellos en una sola temporada (1989-1990) para el equipo mexicano de los Pumas. Antes de labrarse una reputación como portero, jugó como un excelente delantero mientras crecía en Acapulco, donde nació el 15 de octubre de 1966. Pero las peculiaridades de Campos y su gusto por lo espectacular no acababan ahí. El legendario portero del Tricolor acostumbraba a destacar en el conjunto, luciendo prendas únicas. Durante el primero de sus dos mundiales, Estados Unidos 1994, se hizo notorio por llevar un atuendo rojo, amarillo, verde y rosa fluorescente. El extravagante mexicano adquirió el hábito de inventar los diseños para sus creativas camisetas. Su impresionante total de 130 apariciones, desde 1991 hasta noviembre de 2004, hace de Campos no sólo "El Portero Más Colorido" de la historia, sino uno de los mexicanos más talentosos entre los postes.

Jorge Campos vistiendo algunas de las excéntricas camisetas de portero por las que se hizo famoso.

UMBRO
1
BRO
1
EXICO
NIKE
CAMPOS
1

El estilo soviético

ANTES DE ADQUIRIR CIERTO ENCANTO RETRO, LA CAMISETA ESTAMPADA CON LA HOZ Y EL MARTILLO CUBRÍA LAS ESPALDAS DE LOS MEJORES FUTBOLISTAS DE LA UNIÓN SOVIÉTICA QUE SALÍAN A LUCHAR CONTRA EL MUNDO.

La icónica camiseta roja con las letras «CCCP» –el equivalente en alfabeto cirílico a «URSS» (Unión de Repúblicas Socialistas Soviéticas)– estampadas en ella, se utilizó por primera vez el 21 de agosto de 1923 en Estocolmo, en un partido contra Suecia. Durante mucho tiempo, los soviéticos se conformaron con probarse exclusivamente en los Juegos Olímpicos (ganaron el oro en 1956 y 1988), pero sólo cuando no los boicoteaban (como en 1948 en Londres, y en 1984 en Los Ángeles). Finalmente hicieron su debut en la Copa Mundial en 1958. Aunque el deporte se utilizaba como propaganda política, la URSS sólo triunfó en un torneo internacional no olímpico, el EURO 1960. Perdieron en la final de otros tres (los Campeonatos Europeos de 1964, 1972 y 1988). La camiseta de la URSS tendría su aparición final el 13 de noviembre de 1991, en Larnaca, donde sus portadores derrotaron a Chipre 3-0. La desintegración de la Unión Soviética el 26 de diciembre de 1991 dio lugar al surgimiento de 15 selecciones nacionales diferentes. Rusia está considerada por la FIFA como la sucesora de la URSS, y heredó los resultados y récords de los equipos ahora desaparecidos. Fue una decisión extraña, considerando que la mayoría de los jugadores de la URSS provenían de las otras 14 repúblicas, como Georgia y Ucrania.

2

GALARDONES GLOBALES
2 Juego Olímpicos

1

GALARDÓN CONTINENTAL
1 Campeonatos de Europa de la UEFA

1960
Camiseta con la que ganó el Campeonato Europeo

1923
Primera camiseta

1966
Camiseta utilizada en la Copa Mundial

1988
Camiseta de subcampeón del Campeonato de Europa

1991
Última camiseta oficial

Kiev, fábrica de **campeones**

Un destartalado edificio de dos pisos –demolido para hacer espacio a un lujoso hotel en 1998– alojó en una época a algunas de las joyas del fútbol soviético. Pero, sorpresivamente, esos talentos en ascenso no pertenecían a uno de los poderosos clubes de Moscú. Surgieron en medio del mayor secreto entre las filas de Koncha-Zaspa, el complejo de entrenamiento perteneciente al Dinamo de Kiev, fundado en 1927 por los precursores de la KGB. Fue allí, en un suburbio acomodado de Kiev, donde Valeri Lobanovski (1939-2002), conocido como El Maestro, configuró con mano de hierro el futuro de muchos grandes jugadores. Lev Yashin, el único portero nombrado Futbolista Europeo del Año (en 1963), también es el único soviético ganador del prestigioso título que no había sido entrenado por el adusto Lobanovski. De 1973 a 1990, el equipo de Lobanovski dominó el fútbol soviético, e incluso se las arregló para transferir ese éxito a la escena continental, derrotando 3-0 al equipo húngaro Ferencváros, para levantar la Copa de Campeones de la Copa Europea el 14 de mayo de 1975. Ganaron también esta misma competencia en 1986. En ese tiempo, el Dinamo proporcionaba la mayoría de los jugadores de la selección nacional de la URSS, a la que Lobanovski entrenó en tres temporadas separadas. Dos de sus jugadores obtuvieron el reconocimiento de Futbolista Europeo del Año cuando pertenecían al Dinamo: Oleg Blokhin (en 1975) e Igor Belanov (en 1986). Después de la caída del Muro de Berlín el 9 de noviembre de 1989, participó en el desarrollo de otro futuro ganador, aunque fue mientras jugaba en el AC Milan cuando Andrei Shevchenko recibió el galardón, en 2004. El año anterior, Shevchenko le echó la mano al trofeo que su mentor siempre había soñado con levantar: la Champions League.

(De izquierda a derecha, arriba, y de izquierda a derecha, abajo) Lev Yashin (el único portero que ha sido nombrado Futbolista Europeo del Año), Oleg Blokhin (segundo jugador soviético que ha ganado ese título, en 1975), Igor Belanov (Futbolista Europeo del Año 1986) y Andrei Shevchenko (ganador de 2004).

CCCP

CCCP

adidas

Camerún

Ideas grandiosas, **mangas cortas**

EN 2002 Y 2004, LOS LEONES INDOMABLES RESULTARON TAN IMPREDECIBLES CON SU ELECCIÓN DE CAMISETAS COMO LO FUERON EN LA CANCHA. Y SU «DESLIZ» EN LA MODA ATRAJO LA IRA DE LA FIFA.

En 2000, dispuesto a entrar en la competencia con Adidas y Nike, Puma produjo varios conjuntos de fútbol innovadores. Para Italia creó una serie de ajustadas camisetas diseñadas para acabar con los jaloneos. Luego, en la Copa Africana de Naciones de 2002, diseñó camisetas sin mangas para el equipo de Camerún. La FIFA, preocupada por la falta de espacio en las mangas para su logotipo, prohibió la camiseta en la Copa Mundial. Así que Puma le añadió mangas negras. Y en la Copa Africana de Naciones de 2004, Puma dio el audaz paso de equipar a Camerún con su camiseta UniQT, un traje muy ajustado y de una sola pieza. FIFA lo prohibió a partir de los cuartos de final y Camerún perdió. El 16 de abril de 2004, se multó a Camerún con 128,900 euros y se le dedujeron seis puntos en la campaña de calificación para la Copa Mundial de 2006, antes de que la FIFA cambiara de opinión el mes siguiente y levantara la sanción. Había un hueco en la regla 4 de la FIFA. Y no sería la última vez: el 5 de julio de 2012, la FIFA, presionada por la Confederación Asiática de Fútbol, autorizó la utilización del velo en los torneos femeniles.

1

GALARDÓN GLOBAL
1 Juegos Olímpicos

4

GALARDONES CONTINENTALES
4 Copas Africanas de Naciones

2004
Camiseta UniQT, utilizada durante la Copa Africana de Naciones (atuendo ajustadísimo, de una sola pieza)

1982
Primera camiseta utilizada en la Copa Mundial

1990
Camiseta utilizada en la Copa Mundial

2002
Camiseta de la Copa Africana de Naciones vs. camiseta de la Copa Mundial

2013
Camiseta de local

Camerún

Milla:
una aventura africana

Roger Milla no era un futbolista promedio. Era más bien un bailarín con zapatos de fútbol. Así lo demostró en el Mundial de 1990, donde el presidente de Camerún le ordenó que jugara. Diecisiete minutos después de reemplazar a Maboang, el viejo León Indomable rugió triunfante al derrotar a Silviu Lung en la portería rumana. Milla corrió al banderín de esquina, colocó su mano izquierda sobre su estómago, levantó la derecha al cielo y comenzó a menearse para acá y para allá, inventando un baile que cautivó la atención del mundo.

«Lo hice espontáneamente. No fue planeado», dijo. «¡No es Makossa, es el baile de Milla! Es una mezcla de todo tipo de danzas de Camerún.» Milla había desatado una nueva locura y desde entonces los futbolistas han tratado de imitarlo. Milla se dirigió al banderín de esquina para bailar de nuevo cuando anotó una vez más en el minuto 86 para rematar una victoria 2-1. Y dos veces más contra Colombia en la primera ronda eliminatoria (en los minutos 106 y 109 del tiempo extra). Gracias a los goles de Milla, un equipo africano estaba en los cuartos de final por primera vez (donde perderían 3-2 ante Inglaterra después del tiempo extra). Milla regresó para la Copa Mundial de 1994 y un minuto después de reemplazar a M'Fédé contra Rusia, el 28 de junio, los aficionados de San Francisco se pusieron de pie. Milla exhibió su habilidad para el baile frente a 75,000 espectadores, anotando el único gol de su equipo en una derrota 6-1. Pero Camerún estaba fuera. El viejo león se retiraba convertido en el primer africano en jugar tres copas mundiales, y en el futbolista de mayor edad en jugar y anotar en un Mundial (tenía 42 años y 39 días). Milla danzará eternamente en nuestros recuerdos.

"Cuando me pongo esta camiseta, me convierto en un león."

Roger Milla

NÁPOLES (ITALIA), STADIO SAN PAOLO
23 DE JUNIO DE 1990
Roger Milla celebra el primero de sus dos goles contra Colombia.

Japón

Un sol cada vez más alto

DESPUÉS DE ESPERAR HASTA 1988 PARA HACER SU PRIMERA APARICIÓN EN UN TORNEO INTERNACIONAL, JAPÓN ES, HOY EN DÍA, JUNTO CON COREA DEL SUR, LA NACIÓN FUTBOLÍSTICA MÁS FORMIDABLE DE ASIA.

Dentro del simbolismo japonés, el cuervo negro, un símbolo del amor de la familia, se considera de buena suerte. Anunciaba la victoria del samurai y encarnaba su virtud. Se le consideraba representante del sol, como el del centro de la bandera nacional. La aparición del ave en los registros oficiales del imperio data del año 700 de nuestra era, aproximadamente. La Asociación de Fútbol de Japón colocó el cuervo de tres patas en el centro del escudo del equipo, con la tercera pata sosteniendo una pelota roja. Sin embargo, se tomaría su tiempo para traer suerte a la Tierra del Sol Naciente, como lo demostraron los resultados de sus dos primeros partidos, las derrotas 5-0 y 15-0 ante China y Filipinas, respectivamente, el 9 y 10 de mayo de 1917. El «azul samurai» (un color neutro, sin asociación alguna con el rojo y blanco de la bandera imperial) no calificó de hecho para una competencia internacional sino hasta la Copa Asiática de 1988. El lanzamiento de la Liga Junior el 15 de mayo de 1993 precipitó la llegada de jugadores extranjeros de alto perfil (Bebeto, Lineker, Schillacci y Stoichkov, entre otros) así como entrenadores (Ardiles, Littbarski, Wenger, etc.). Una vez que participaron en su primera Copa Mundial en 1998, los japoneses aparecieron en las siguientes tres. Han sido invitados a la Copa América en tres ocasiones, sus jugadores se han establecido firmemente en los clubes europeos, y el equipo femenil fue coronado campeón del mundo en 2011, superando a las poderosas estadounidenses en penaltis después de un empate 2-2.

0

GALARDONES GLOBALES

4

GALARDONES CONTINENTALES
4 Asian Cups

2011
Camiseta con la que ganó la Copa Asiática

1956
Camiseta utilizada en los Juegos Olímpicos

1992
Primera camiseta con la que ganó la Copa Asiática

1998
Primera camiseta utilizada en la Copa Mundial

2012
Camiseta de local

Japón

Nakata:
el valor de un nombre

El convoy de autobuses que se dirigen a cada partido en el estadio Renato Curi de Perugia a menudo parece no tener fin. Durante 1999 solamente, 30,000 turistas aficionados al fútbol hicieron el largo viaje desde Japón para profesar su admiración al nuevo emperador, un hombre llamado Hidetoshi Nakata. Sin embargo, el centrocampista de cabello anaranjado no fue el primer jugador japonés en probar suerte en Europa. Pero ni Yasuhiko Okudera, el pionero (en Alemania, 1977-1986), ni Kazu Miura, el primero en jugar en Italia (con Génova, en 1994), compartieron su cabeza para los negocios. A su llegada a Roma, Nakata se embolsó un millón de dólares simplemente mediante la venta de una serie limitada de 1,000 camisetas autografiadas. Como titular de los derechos de su imagen a través de su compañía gestora Sunny Side Up, «Hide», cuyo interés en el fútbol comenzó desde niño, con el Capitán Tsubusa, un programa animado de fútbol de larga duración, también vendió su imagen a un cómic manga, una marca de sake, un juego de video y mucho más. Perugia no se arrepentiría de pagar 2.4 millones de euros por Nakata, en 1998, al Shonan Bellmare con sede en Hiratsuka. Vendieron al creativo centrocampista a Roma en 2000 en 21.7 millones de euros, y los romanos lo transfirieron al Parma por 30.5 millones al año siguiente. El estatus de Nakata como el asiático más caro en la historia del fútbol se debe en parte al hecho de que, como David Beckham, fue uno de los primeros jugadores en crear un vínculo entre el deporte y la moda. En 2000, su nombre vendió más camisetas que cualquiera otra estrella, con excepción de Ronaldo, y en 2004, ganó la misma cantidad que el brasileño (16 millones de euros). Sólo Beckham y Zinédine Zidane estaban ganando más en ese momento: 30 millones el primero y 19 millones el segundo. Se retiró el 3 de julio de 2006, a los 29 años, con el fin de viajar. Pero su sentido de los negocios nunca lo abandonó. El 30 de marzo de 2011, una ex actriz taiwanesa pagó 27.6 millones de yenes en una subasta por un par de botines firmados por Nakata.

NANTES (FRANCIA), STADE DE LA BEAUJOIRE
20 DE JUNIO DE 1998
Hidetoshi Nakata en acción contra Croacia en la primera Copa Mundial de Japón, donde terminaron en último lugar del Grupo H.

Holanda

Una naranja **no tan perfecta**

CUNA DEL «FÚTBOL TOTAL», HOLANDA HA APARECIDO EN TRES FINALES DE LA COPA MUNDIAL, Y HA PERDIDO EN CADA UNA DE ELLAS.

Históricamente, el equipo de Holanda ha usado su emblemática camiseta naranja, pantaloncillos negros y medias anaranjadas con orgullo y garbo. El negro y el naranja se remontan al escudo de armas de Guillermo de Orange, quien logró la independencia de las Provincias Unidas. Pero uno de los apodos del equipo, «La Naranja Mecánica», responde más al renombrado «fútbol total» que han perfeccionado, que a los colores que llevan en sus espaldas.

Con los años, sin embargo, las cosas no han funcionado siempre como mecanismo de relojería para los Holandeses Voladores. Aunque aseguraron su único título del Campeonato Europeo en 1988 (2-0 contra la URSS, el 25 de junio), fueron derrotados en cada una de las tres finales de la Copa Mundial en las que jugaron, incluyendo dos seguidas contra naciones anfitrionas en la década de 1970 (1-2 contra Alemania Occidental en 1974, 1-3 en tiempos extra contra Argentina en 1978 y 0-1 en tiempos extra contra España en 2010, en Sudáfrica). Sólo Alemania/Alemania Occidental ha perdido más a menudo (cuatro veces), pero los germanos al menos también han conseguido tres triunfos. Doce equipos diferentes han llegado a la final de la Copa Mundial a lo largo de los años, y la Naranja es sólo uno de cuatro que nunca han levantado el trofeo; los otros tres son Hungría, Checoslovaquia (dos finales cada uno) y Suecia (una aparición).

0

GLOBAL HONOUR

1

GALARDÓN CONTINENTAL
1 Campeonato de Europa de la UEFA

2010
Camiseta de subcampeón de la Copa Mundial

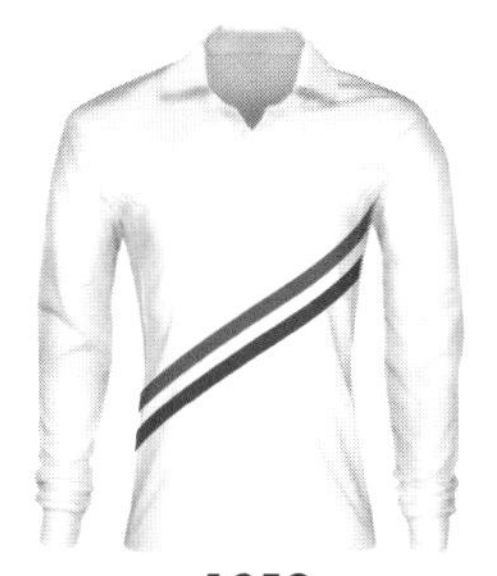

1950
Primera camiseta

1974
Camiseta de subcampeón de la Copa Mundial

1978
Camiseta de subcampeón de la Copa Mundial

1988
Camiseta con la que ganó el Campeonato de Europa

Holanda

Rep y el caso de las camisetas robadas

Johnny Rep estaba molesto consigo mismo. Hurgó en su maletín de deporte, pero su amada camiseta de George Best no estaba allí. «Tenía el hábito de usarla mientras dirigía las sesiones de entrenamiento del pequeño club amateur al que entrenaba», recuerda el ex delantero holandés y veterano de las finales de los Mundiales de 1974 y 1978.

«La camiseta llegó a mi poder durante su partido de homenaje (el mejor de todos) en 1988 en Belfast. No me gustaba aferrarme a las camisetas en esa época... todas las regalaba, incluyendo las que me dieron estrellas francesas como Rocheteau, Six, Lopez y Trésor, e incluso una de Maradona», agrega Rep, antes de explicar por qué no le impresionó mucho tener en sus manos la icónica camiseta del argentino. «¡Yo había jugado en dos finales de la Copa Mundial –1974 y 1978– y probablemente era más famoso que él en esa época!», explica, describiendo el intercambio en Berna, Suiza, después de un partido amistoso de vuelta de la final de la Copa Mundial de 1978. «Entonces Maradona tenía 19 años y se me acercó preguntando si podíamos intercambiar camisetas. Acepté, pero como realmente no me interesaba mucho, se la regalé a un amigo más tarde.»

Pero la camiseta de Best era diferente para Rep, que anotó 12 goles en 42 partidos internacionales para Holanda, y muchos más para el club Ajax. «De hecho significaba algo para mí», dice Rep, que claramente es un admirador del fallecido delantero de Irlanda del Norte y del Manchester United, antes de desentrañar el misterio. «Más tarde descubrí que uno de mis jugadores había robado mi camiseta de Best.» Rep prosigue explicando su antigua ambivalencia acerca de las camisetas, y cómo cambió de parecer más tarde. «Recibí una enorme cantidad de camisetas en mi carrera, y ahora no tengo una sola de ellas», dice el hombre de 61 años. «¿Y saben qué? Me arrepiento. En 2013, Bastia [su antiguo club francés] me dio una camiseta especial para conmemorar el 30º aniversario de la muerte de mi amigo y antiguo seleccionado francés Claude Papi. Pero yo iba de regreso a casa, mi autocaravana se estropeó en España, y también robaron esa camiseta», agrega con una risa resignada. «Definitivamente no he tenido buena suerte con las camisetas».

HANOVER (GERMANY), NIEDERSACHSENSTADION
15 DE JUNIO DE 1974
Johnny Rep (derecha) sonríe al lado de Johan Neeskens con el silbatazo final. Rep anotó los dos goles contra Uruguay (2-0) en el primer encuentro de Holanda en la Copa Mundial de 1974.

El poder de las chicas

EN ESTADOS UNIDOS, EL EQUIPO INTERNACIONAL FEMENINO HA LOGRADO UN NIVEL DE POPULARIDAD Y NOTORIEDAD RARAMENTE VISTO EN OTROS PAÍSES. JUNTO CON ALEMANIA, SON LAS ÚNICAS DOS SELECCIONES NACIONALES QUE LLEVAN DOS ESTRELLAS EN SU CAMISETA.

Después del colapso de la NASL, el fútbol soccer parecía haber finalizado sus días en Estados Unidos. Pero el éxito del soccer femenino y el inicio de una nueva liga profesional varonil –Major League Soccer– en 1996 ayudaron a que el deporte sobreviviera y se desarrollara. Ahora, casi 30 años después del final de la NASL, el fútbol soccer prospera y se ha convertido en una parte importante del panorama deportivo de EUA. Seis años después de que las estadounidenses jugaran su primer partido, el 18 de agosto de 1985, donde perdieron 1-0 contra Italia, el equipo, inspirado por la primera estrella del fútbol femenino internacional Michelle Akers, triunfó en el partido inaugural de la Copa Mundial Femenina de 1991 en China. Desde entonces, las estadounidenses nunca han terminado por debajo del tercer lugar en el torneo de la FIFA. Además, se han asegurado cuatro de los últimos cinco títulos olímpicos. El éxito de la Copa Mundial Varonil de 1994 ayudó al despegue de la MLS y la liga ha crecido hasta incluir 19 equipos. El apoyo de los aficionados ha mejorado consistentemente con los años y la MLS ahora tiene el séptimo lugar de audiencia entre todas las ligas del mundo. Aunque las mujeres estadounidenses han tenido la mala fortuna de presenciar el repliegue de dos ligas profesionales, la tercera, dirigida por la U.S. Soccer Federation y llamada National Women's Soccer League (NWSL), inicia en la primavera de 2013. Con un nuevo modelo de negocio y teniendo como meta principal la sustentabilidad, el objetivo de la liga es facilitar el desarrollo del juego de las mujeres aún más en EUA. Se espera que el equipo de EUA permanezca en la cima del mundo y continúe agregando más estrellas a su camiseta.

GALARDONES GLOBALES
2 Copas Mundiales Femeninas de la FIFA
4 Juegos Olímpicos

GALARDONES CONTINENTALES
6 Copas de Oro

2012
Camiseta de medallistas de oro de las Olimpiadas

1991
Primera camiseta con la que ganó la Copa Mundial

1996
Primera camiseta de medallistas de oro de las Olimpiadas

1999
Camiseta con la que ganó la Copa Mundial

2011
Camiseta de subcampeón de la Copa Mundial

Estados Unidos

Un momento icónico para **Chastain**

El espectáculo de los jugadores intercambiando camisetas al final de un partido ahora es un lugar común, pero no fue así sino hasta el 31 de mayo de 1931. Los franceses, fascinados por haber derrotado a los ingleses (5-2) por primera vez en diez años, preguntaron si podían conservar las camisetas de sus oponentes como un recuerdo del memorable partido, que tuvo lugar en Colombes, al noroeste de París. Este comportamiento deportivo adquirió aceptación mundial más tarde cuando Pelé y Bobby Moore accedieron a esta actividad después del silbatazo final de la dura victoria de Brasil 1-0 sobre Inglaterra, el 7 de junio de 1970, en el Mundial de México. Previamente se pensaba que este era un acto realizado exclusivamente por los hombres, y que debía seguir ciertas reglas y costumbres. De modo que para acabar con la exhibición de mensajes en las camisetas que los jugadores llevaban debajo de sus uniformes, la FIFA prohibió quitárselas, excepto durante el intercambio ritual al final de un partido. Pero esa regla no tomaba en cuenta las emociones de Brandi Chastain. Eufórica por haber anotado con el decisivo tiro de penalti contra China en la final de la Copa Mundial Femenina de 1999 (0-0, 5-4 en penaltis, el 10 de julio), la defensa estadounidense causó sensación al quitarse la camiseta y dar la vuelta de la victoria en su sujetador deportivo, haciendo girar la camiseta por encima de su cabeza y recibiendo una gran aclamación de la multitud.

El gesto le valió un lugar en la portada de numerosos publicaciones estadounidenses de prestigio, como *Time*, *Newsweek* y *Sports Illustrated*, y además posó desnuda para la revista masculina *Gear*. Josefine Öqvist disfrutó su propio instante de celebridad en la edición 2011 del torneo en Alemania. Después de la victoria 2-1 de su país contra EUA el 6 de julio en Wolfsburg, la atractiva delantera sueca intercambió su camiseta con un oportunista aficionado alemán, ganándose un beso en la mejilla en el proceso, antes de volver al vestidor llevando su nueva camiseta alemana.

PASADENA (ESTADOS UNIDOS), ROSE BOWL STADIUM
10 DE JULIO DE 1999
Brandi Chastain se quita la camiseta frente a 92,000 aficionados después de anotar el penalti que llevó a la victoria en una serie de tiros en la final de la Copa Mundial contra China. Era el segundo título mundial de EUA. Gracias a este gesto, apareció en la portada de revistas de prestigio, como *Sports Illustrated*.

Sports Illustrated
Yes!
Why Brandi Chastain and the U.S. Women's Soccer Team Were Unbeatable
19, 1999
cnnsi.com

AC Milan

"Il club piu titolato al mondo" (*)

(*) El club más galardonado del mundo

21 AÑOS DESPUÉS DE SALVAR AL AC MILAN DE LA QUIEBRA, SILVIO BERLUSCONI VIO SUS GRANDES SUEÑOS HECHOS REALIDAD EN 2007, CUANDO EL CLUB SE VOLVIÓ EL MÁS GALARDONADO DEL MUNDO CON TROFEOS INTERNACIONALES.

«Il club piu titolato al mondo.» Después de la final de la Copa Mundial de Clubes de la FIFA, el 16 de diciembre de 2007, esas seis palabras se bordaron en oro en la camiseta del AC Milan, bajo el escudo. Este decimoctavo éxito internacional impulsó al club por encima del Boca Juniors, equipo argentino al que acababa de derrotar 4-2, por lo que se refiere a la cantidad total de trofeos continentales y mundiales que ha obtenido. Además, representó la realización de un sueño largamente anhelado por Silvio Berlusconi, quien había comprado el equipo, por entonces en problemas económicos, el 20 de febrero de 1986. Fue un curioso destino para el club de fútbol y críquet (hasta 1905) fundado el 16 de diciembre de 1899 por diez ingleses y siete italianos, y cuyo primer presidente, Herbert Kiplin, fue un vicecónsul británico. Siguiendo la tendencia inglesa de la época, adoptaron desde el principio la camiseta de bandas rojas y negras. Rojo, por el diablo, y negro, para infundir miedo. Aunque no siempre ha sido tan aterrador, el AC Milan se mantiene como el club más exitoso del planeta, aunque ahora vuelve a compartir ese honor con el Boca Juniors, que se niveló con los italianos tras ganar la Recopa Sudamericana en 2008.

18

GALARDONES GLOBALES

7 UEFA Champions Leagues
2 Recopas de la UEFA
5 Supercopas de la UEFA
3 Copas Intercontinentales
1 Copa Mundial de Clubes de la FIFA

29

GALARDONES NACIONALES

18 Ligas Italianas
5 Copas de Italia
6 Supercopas Italianas

1990
Camiseta con la que ganó la Supercopa de la UEFA

1963
Camiseta con la que ganó la Champions League

1969
Camiseta con la que ganó la Champions League

2003
Camiseta de local

2007
Camiseta con la que ganó la Champions League

AC Milan

La barahúnda turca de **Maldini**

El enfrentamiento no estaba planeado. Y estuvo cerca de convertirse en una revuelta. Tan pronto como los seguidores del AC Milan vieron a sus jugadores entrar en el aeropuerto internacional de Estambul, comenzaron a insultarlos con saña, descargando su ira contra lo que tomaron como un derrumbe de sus héroes en la final de la Champions League de la UEFA contra el Liverpool la noche anterior, un partido en el que *I Rossoneri* habían perdido por penaltis después de ir ganando 3-0 en el medio tiempo (25 de mayo de 2005). Pero, en lugar de seguir el ejemplo de sus compañeros de equipo que se apresuraron a alejarse lo más posible, Paolo Maldini se detuvo. Dio la vuelta, dejó su maletín y se abrió camino, solo, a través de la furiosa multitud de seguidores. Les dirigió una mirada fulminante y declaró: "¡Ustedes son los que avergüenzan al Milan!" El capitano, que había abierto el marcador contra los Rojos hacía apenas unas horas, habló largo y tendido a los aficionados, y la calma volvió rápidamente. Pero aquellos seguidores no olvidarían el incidente, ni otros similares. Al contrario que Franco Baresi, el anterior capitán del Milan, Maldini nunca disfrutó del apoyo de los Ultras de Curva Sud. Manteniendo la opinión de que defender la camiseta de franjas rojas y negras era lo mismo que defender cierta ética deportiva, el internacional italiano criticaba a menudo la violencia que ostentaban algunos aficionados del fútbol, sobre todo los que seguían a su propio equipo. Los Ultras obtuvieron su venganza unos cuatro años después, abucheando a Maldini y mostrando pancartas con mensajes hostiles en su despedida ante la afición de San Siro. Después de declarar lealtad a una sola camiseta en sus 25 años de carrera, Maldini, un profesional ejemplar, se retiró sin el respeto de cierta parte de los seguidores del AC Milan.

YOKOHAMA (JAPÓN), ESTADIO NISSAN
16 DE DICIEMBRE DE 2007
El capitán del AC Milan, Paolo Maldini, levanta el 18º trofeo internacional del club después de ayudar a derrotar al Boca Juniors en la final de la Copa Mundial de Clubes.
(Next)

MILÁN (ITALIA), SAN SIRO
4 DE MAYO DE 2008
El «dream team» del Milan, de izquierda a derecha: Clarence Seedorf, Filippo Inzaghi, Kaká, Andrea Pirlo y Massimo Ambrosini.

902 fueron las veces que Maldini llevó la camisa *rossonero*

FIFA
adidas
adidas

Boca Juniors

"La mitad más uno"

FUNDADO POR OBREROS, *LOS BOSTEROS* ("LOS PUEBLERINOS") AFIRMAN CON ORGULLO QUE MÁS DE LA MITAD DE LOS SEGUIDORES DEL FÚTBOL EN ARGENTINA LOS APOYAN.

Los inmigrantes genoveses que establecieron el club de Buenos Aires el 3 de abril de 1905 llevaron las cosas con sencillez: le dieron el nombre del distrito portuario, La Boca, y añadieron la palabra "Juniors" como tributo a las raíces británicas del fútbol. Dándose cuenta de que ninguna de las tonalidades que elegían (rosa, azul cielo, o franjas negras y blancas al estilo del Juventus) eran adecuadas, alguien sugirió dos años después que el club adoptara los colores del siguiente barco que entrara en el puerto. Ese barco resultó ser sueco, y el reverenciado azul y amarillo (originalmente en una franja diagonal amarilla, que cambió a una horizontal en 1913) del Boca Juniors nació. Cuando Mauricio Macri añadió dos franjas blancas, una por encima y otra por debajo de la banda amarilla, al convertirse en el presidente del club en 1996, el mismo Diego Maradona amenazó con dejar de portar la camiseta, pero finalmente cambió de opinión. Coca-Cola fue obligada a hacer lo mismo cuando *Los Xeneizes* ("los genoveses") le pidieron que cambiara el color de su mundialmente famoso logotipo si quería suceder a Pepsi como patrocinador de su camiseta en 2004. ¿La razón? El rojo y el blanco son los colores del River Plate, el club de sus eternos rivales. El estadio del Boca, conocido como "La Bombonera", se convirtió así en el único lugar del mundo donde el logotipo de Coca-Cola es blanco y negro.

18

GALARDONES GLOBALES

6 Copas Llbertadores
1 Supercopa Libertadores
4 Recopas Sudamericanas
3 Copas Intercontinentales
2 Copas Sudamericanas...

26

GALARDONES NACIONALES

24 Ligas Argentinas
2 Copas Argentinas

2003
Camiseta con la que ganó la Liga Argentina, Copa Libertadores y Copa Intercontinental

1905
Primera camiseta

1907-1912
Camiseta azul con una franja diagonal amarilla

1913
Camiseta azul con una franja horizontal amarilla

1996
Última camiseta portada por Maradona

LG
adidas

Riquelme, y la disputada sucesión

Juan Román Riquelme no podía haber soñado con un mayor homenaje público, el 10 de noviembre de 2001, día señalado para celebrar los talentos de Diego Maradona. Después de un partido de gala organizado en su honor en La Bombonera, "El Diez" se quitó su camiseta de Argentina para revelar la equivalente del Boca Juniors, con el número 10 y el nombre del hombre al que consideraba su legítimo sucesor estampado en la espalda: Riquelme. Cuatro años antes, el 26 de octubre de 1997, el sofisticado centrocampista, producto del sistema juvenil del Juniors como Maradona, ya había reemplazado a su ídolo en el medio tiempo de un Superclásico que ganaron 2-1 al River Plate como visitantes, el último partido oficial de Maradona con los colores del Boca. Llevó orgullosamente el número 10 de su héroe durante seis meses, antes de irse con el Barcelona, aunque fue en el Villarreal (2003-2007) donde finalmente alcanzó relevancia en Europa. A pesar de jugar 51 partidos y anotar 17 goles para Argentina entre 1997 y 2008, nunca logró llenar realmente el hueco dejado por Maradona, y se retiró del fútbol internacional después del Mundial de 2006. Alfio Basile, el nuevo entrenador argentino, persuadió a Riquelme para que dejara su retiro y participara en la victoria contra Chile (2-0) el 13 de octubre de 2007, pero cerró definitivamente la puerta a *La Albiceleste* en marzo de 2009, enfurecido por la evidente intención del sucesor de Basile de ignorarlo. El entrenador en cuestión, que se negó a reclutar al hábil centrocampista entre el 28 de octubre de 2008 y la Copa Mundial de 2010, ¡era nada menos que Maradona! "Riquelme es demasiado lento", aseguró. A Riquelme se le conoció como "El Último Número Diez", se erigió una estatua en su honor en La Bombonera el 2 de julio de 2011, y tuvo cierta suerte de desquite con "El Diez". En 2008, Riquelme fue declarado por los seguidores como el "Jugador más popular en la historia del Boca", consiguiendo el 33.37% de los votos, en contraste con el 26.42% de Maradona. Quizás Riquelme fue el legítimo sucesor, después de todo.

La antigua estrella del Boca (1981-1982 y 1995-1997), Diego Maradona, sigue apoyando al club más cercano a su corazón desde el balcón de su palco privado.

Juan Riquelme, visto aquí luchando con el capitán del River Plate, Marcelo Gallardo, fue nombrado el "Jugador más popular en la historia del Boca" por los aficionados del club en 2008.

CableVisión

Inaugurado el 25 de mayo de 1940, el estadio conocido popularmente como "La Bombonera" obtuvo su apodo a causa de su forma rectangular y sus gradas empinadas. Su capacidad se incrementó a 57,395 espectadores en 1996 y el sitio ofrece una de las atmósferas más intensas y apasionadas del fútbol mundial.

Barça: el polo opuesto del Real Madrid

CREADO EN 1899, EL FC BARCELONA ENCARNA LA ARRAIGADA IDENTIDAD CATALANA EN ESPAÑA, AL CONTRARIO QUE SU ETERNO RIVAL CAPITALINO, EL REAL MADRID.

Los once hombres –seis catalanes, dos ingleses, dos suizos y un alemán– que respondieron al anuncio de *Los Deportes*, el 22 de octubre de 1899, no podían imaginar que estaban fundando el que se convertiría en uno de los clubes más poderosos del mundo. Los colores *blaugrana* (azul y rojo oscuro) se adoptaron el mismo año, previamente a un partido contra el Català. Y aunque su escudo, con forma de tazón desde 1910, sufrió diversas modificaciones menores hasta 2002, sigue inspirándose en el escudo de armas de la ciudad de Barcelona, que presenta la Cruz de San Jorge al lado de la bandera catalana.

El Barça siempre ha transmitido una fuerte identidad catalana, opuesta al centralismo de Madrid, hasta tal grado que todo el club fue cerrado durante seis meses después de que abuchearan el himno nacional español (la *Marcha Real*) el 14 de junio de 1925. El 6 de agosto de 1936, un mes después de iniciada la Guerra Civil española, el presidente del club en esa época, Josep Suñol, republicano y nacionalista catalán, fue arrestado por las fuerzas leales al general Franco y fusilado en el acto. Hoy en día, el Barcelona es un club anclado en sus tradiciones, que sin embargo rezuma una imponente modernidad.

17

GALARDONES GLOBALES

4 UEFA Champions Leagues
3 Copas de Feria
4 Recopas de la UEFA
4 Supercopas de la UEFA
2 Copas Mundiales de Clubes de la FIFA

57

GALARDONES NACIONALES

21 Ligas Españolas
26 Copas de España
10 Supercopas de España

2011
Camiseta con la que ganó la Champions League

1903
Primera camiseta

1979
Primera camiseta con la que ganó el trofeo europeo

1992
Primera camiseta con la que ganó la Champions League

1999
Camiseta del Centenario

FC Barcelona

"Más que una camiseta"

La camiseta *blaugrana* nunca había incluido ningún anuncio ni patrocinador, hasta septiembre de 2006, cuando, por primera vez en 107 años de existencia, el Barcelona comenzó una colaboración ética y humanitaria con UNICEF, acordando exhibir el logo de la organización de ayuda a los niños en el frente de sus camisetas. El Barcelona incluso llegó a pagar un millón y medio de euros al año al programa de Naciones Unidas, siendo la primera vez que se ha llegado a un acuerdo de este tipo en el fútbol. A éste siguieron rápidamente otros cinco años en que el *Barça* decidió colocar un anuncio en sus camisetas. Con un promedio de 170 millones de euros en seis años, o 30 millones por temporada, la Fundación Qatar se convirtió legalmente en el primer patrocinador oficial de la camiseta del club. Sin embargo, el contrato incluía una cláusula que permite a Qatar Sports Investments (QSI) cambiar la marca anunciada. De acuerdo con esto, QSI decidió que Qatar Airways aparecería desde el inicio de la temporada 2013-2014 en adelante. También para el año 2014 Doha ha programado la apertura de su nuevo aeropuerto internacional, que se augura será el segundo más grande del mundo. La camiseta de los catalanes se ha convertido en el símbolo de un club global con 350 millones de seguidores en todo el mundo, así como una de las camisetas de un club más vendidas en el planeta.

Después de 107 años como club, los empleadores de Lionel Messi finalmente pusieron el nombre de un patrocinador en su camiseta en 2006, una decisión que actualmente remunera al Barcelona cerca de 30 millones de euros al año.

(Siguiente)
El Camp Nou, construido en 1957, es el estadio más grande de Europa, con una capacidad para 99,354 personas.

unicef
10
5
4

NIKEFOOTBALL.COM
NIKEFOOTBALL.COM
NIKEFOOTBALL.COM
SPORT
Spanair
Spanair
Spanair
GOL GOL
GOL GOL

Real Madrid

Raíces regias

DECLARADO "CLUB DEL SIGLO" POR LA FIFA EN 2000, EL REAL MADRID, FUNDADO OFICIALMENTE EL 6 DE MARZO DE 1902, NO JUGÓ DESDE EL PRINCIPIO TODO DE BLANCO.

En sus comienzos, la camiseta del club español tenía una banda diagonal en azul, como la de su escudo. Cautivada por la elegancia del equipo londinense de los Corinthians, que jugaban en camiseta y pantalón blancos, la directiva del Real Madrid decidió imitarlos. Después de darse a conocer como Los Merengues, le agregaron botones, así como el escudo del club (que permanece hasta hoy) a la izquierda, a la altura del pecho. En 1920, la "Casa Blanca" recibió el patrocinio real y se convirtió en el "Real Madrid Club de Fútbol", añadiendo la corona de Alfonso XIII sobre su escudo. En 1931 cambió por una banda azul, representativa de la región de Castilla la Nueva, tras establecerse la Segunda República. Madrid recuperó la Real Corona en 1941, dos años después de finalizada la Guerra Civil española. Y para evitar ofensas a los Emiratos Árabes Unidos, con los que acordaron abrir un parque temático isleño en 2015, el club eliminó la cruz católica de su escudo en 2012.

15

GALARDONES GLOBALES

9 UEFA Champions Leagues
2 Copas de Liga de la UEFA
1 Supercopa de la UEFA
3 Copas Intercontinentales

59

GALARDONES NACIONALES

32 Ligas Españolas
18 Copas de España
9 Supercopas de España

2012
Camiseta con la que ganó la Liga Española

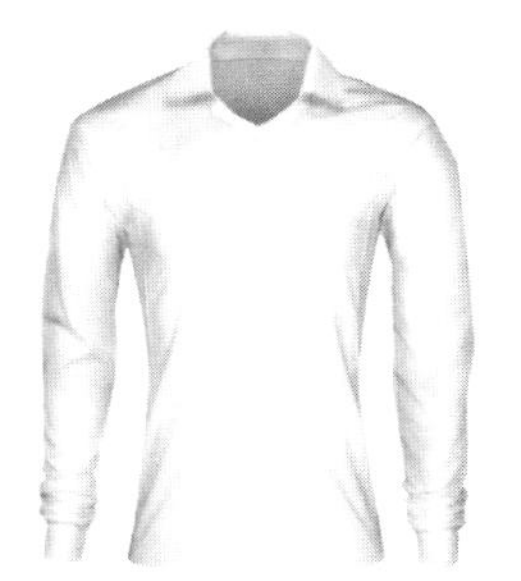

1933
Camiseta con la que ganó la Liga Española

1956-1960
Camiseta con la que ganó por quinta vez consecutiva la Champions League

1987
Camiseta con la que ganó la Liga Española (periodo de la Quinta del Buitre)

2000
Camiseta con la que ganó la Champions League

Zidane: un 5 convertido en 10

Zinedine Zidane pasará a la historia como un fantástico número 10, igual que Pelé, Maradona y Platini antes que él. Sin embargo, finalizó su carrera con el número 5. Al llegar al Madrid en 2001, el francés no pudo llevar el 10, que ya pertenecía al medio ofensivo Luis Figo. Fernando Morientes tenía el 9 y Steve McManaman, el 8. El 7 era propiedad de Raúl. Así que Zidane se vio obligado a reducir sus expectativas y aceptar uno de los números disponibles tradicionalmente atribuidos a la defensa, eligiendo el 5. Puesto que el atípico número le aportó un gran éxito, lo mantuvo hasta finalizar su carrera en 2006, y todavía lo usa para promover su complejo de fútbol sala en Aix-en-Provence, cerca de su Marsella natal. Kaká, Futbolista Europeo del Año en 2007 y gran admirador de Zidane, se negó a usar el número 5 cuando llegó al Real en 2009 en señal de respeto, tomando en su lugar el 8. De hecho, no fue la primera vez en la carrera de Zidane que llevó otro número a la espalda. En sus comienzos en Cannes, fue el 11. En el Bordeaux se conformó con el 7, ya que el 10 se lo había llevado el centrocampista holandés Richard Witschge. Después de firmar con el Juventus, escogió el 21 por tres razones: Angelo di Livio tenía el 7, el 10 lo tenía Alessandro del Piero, y no llevar el 10 le permitía evitar comparaciones con su compatriota, Platini, que todavía era un ídolo para los leales al Turín. Incluso jugando para Francia, Zidane tuvo otros números, e hizo su debut contra la República Checa (2-2, 17 de agosto de 1994) con el 14. Cualquiera que fuera su número, su rol en el campo ha sido siempre el que se asocia al número 10, centro delantero, y desde esa posición ha fascinado a todo el planeta con su clase y su destreza.

Zinedine Zidane jugó cinco temporadas con el Real Madrid (2001-2006), donde bajó el telón de su carrera.

(Siguiente)
De izquierda a derecha: El capitán Raúl, Beckham, Figo y Zidane. Todos estos Galácticos llevaron la camiseta del Real Madrid juntos de 2003 al 2005.

LFP
23
10
5
RMCF

NIHAT
15

Los orígenes griegos del Fútbol Total

LA CAMISETA BLANCA CON UNA ANCHA FRANJA ROJA DEL AJAX EVOCA RECUERDOS, AÚN AHORA, DE ALGO DEL FÚTBOL MÁS ATRACTIVO QUE SE HAYA JUGADO.

La fabulosa historia del Ajax comenzó en 1893, cuando un grupo de amigos establecieron la «Unión» que se volvería el FC Ajax un año después. Pero la fecha de la formación oficial del club es el 18 de marzo de 1900, día en que se unieron a la Asociación de Fútbol de Amsterdam, lo cual les ayudó a conseguir un campo en el este de la ciudad, en el barrio judío. Desde entonces, sus seguidores más fanáticos los llaman los *Joden* ("judíos" en holandés), a pesar de que las raíces del club proceden de la mitología griega y no del judaísmo. Ajax, un héroe de la Guerra de Troya, era conocido por su ímpetu y valentía. Su imagen ha aparecido en el escudo del club desde septiembre de 1928. Para distinguirse de sus rivales del PSV Eindhoven y Feyenoord, el Ajax cambió el color de su camiseta varias veces, empezado en negro con una banda roja alrededor de la cintura. Esto fue remplazado por rayas rojas y blancas al día siguiente de su primer triunfo de liga, en 1911. Posteriormente optaron por una camiseta blanca con una franja roja ancha y vertical en el centro. Fue esta camiseta la que más adelante se convertiría en el símbolo del 'Fútbol Total' adoptado primero por Rinus Michels y luego por Stefan Kovacs.

La efigie del héroe mítico Ajax apareció por primera vez en el emblema del club el 20 de septiembre de 1928. En 1991 se modernizó y redibujó en la fuente Gill, utilizando solamente once trazos para representar el número de jugadores de un equipo de fútbol.

11

GALARDONES GLOBALES
4 UEFA Champions Leagues
1 Copa de Liga de la UEFA
1 Recopa de la UEFA
3 Supercopas de la UEFA
2 Copas Intercontinentales

57

GALARDONES NACIONALES
32 Ligas Holandesas
18 Copas de Holanda
7 Supercopas de Holanda

1992
Camiseta con la que
ganó la Liga Europea

1911
Camiseta durante la
promoción del club
a primera división

1971
Camiseta con la que ganó la
Champions League

1995
Camiseta con la que ganó la
Champions League

2010
Camiseta con la que
ganó la Liga Holandesa

Ajax

Cruyff, del 9 al 14

Recordado como uno de los más grandes jugadores de todos los tiempos, Johan Cruyff no solamente se distinguió por su talento en el campo. También destacó por el número en la espalda de su camiseta. Después de haber empezado usando el número 9, el "Príncipe de Amsterdam", su apodo en la ciudad en que su madre trabajaba haciendo limpieza, se volvió conocido en el mundo del deporte por usar un número tradicionalmente asociado a los sustitutos de la banca, es decir el 14, de 1970 en adelante. ¿Cuál fue la razón de esta decisión inusual? Mientras estaba lesionado, el número 9 de su camiseta de Holanda pasó a Gerrie Mühren. Totalmente recuperado y posiblemente un poco molesto por el cambio, Cruyff, un tipo temperamental y dominante, no pidió que le devolvieran el número 9 y decidió usar el 14 en su lugar. Pero la historia no terminó ahí. Era famoso por fumar en el medio tiempo, y se diferenciaba de los demás jugadores por sutiles alteraciones en su uniforme. El equipo holandés usaba pantalones Adidas y una camiseta Adidas con tres rayas negras a lo largo de las mangas. Pero Cruyff no. Como había firmado un contrato aparte con otro patrocinador, Puma, el "Holandés Volador" se rehusó a usar una camiseta fabricada por otra marca, y jugó solamente con dos rayas. Desafortunadamente, este no fue el caso durante la Copa Mundial de 1978. Víctima de un intento de secuestro en su residencia de Barcelona en 1977, decidió no acompañar a sus compañeros de equipo a Argentina, entonces gobernada por una dictadura militar. Siendo el primer jugador en ganar tres títulos de Jugador Europeo del Año (1971, 1973 y 1974), Cruyff no obstante ya había ganado sus galones por una extraordinaria carrera.

AMSTERDAM (HOLANDA), AMSTERDAM ARENA
7 DE NOVIEMBRE DE 1978
Johan Cruyff con una camiseta especial en su partido de despedida del Ajax.

GELSENKIRCHEN (ALEMANIA), PARKSTADION
26 DE JUNIO DE 1974
El "Holandés Volador" llevó sólo dos rayas en su atuendo durante la Copa Mundial de 1974, mientras que el resto de sus compañeros de equipo llevaban tres. Aquí se le puede ver contra Argentina en el primer juego de la segunda fase de grupos.

JOHAN CRUYFF
FAREWELL
7-11-78

Liverpool

"Jamás caminarás solo"

FORMAR PARTE DEL EJÉRCITO ROJO, COMO SE CONOCE A LOS SEGUIDORES DEL LIVERPOOL, ES GARANTÍA DE NO TENER QUE CAMINAR JAMÁS SOLO, COMO LO EXPRESAN EL HIMNO Y EL LEMA DEL CLUB DE MERSEYSIDE, FUNDADO EN 1892.

Los jugadores que se ponen una camiseta del Liverpool son conscientes de que llevan una carga pesada, la de honrar el recuerdo de las víctimas del desastre del Estadio Heysel, cuando 39 seguidores murieron al derrumbarse las vallas y un muro de contención el 29 de mayo de 1985, y el de Hillsborough, en el que 96 aficionados perecieron tras hundirse un graderío, el 15 de abril de 1989. Liverpool esperó hasta 1896 para abandonar el azul y blanco que lucían los vecinos de Everton y adoptar una camiseta roja. En 1955 añadieron a la camiseta la imagen de un *liverbird*, una criatura mítica mitad cormorán y mitad águila usada para representar la ciudad de Liverpool, y la pusieron en su emblema en 1987. Las llamas gemelas a ambos lados simbolizan el memorial de Hillsborough en las afueras de Anfield. Desde 1992, el lema del club, "Jamás caminarás solo", ha aparecido sobre el escudo que rodea al *liverbird*.

11

GALARDONES GLOBALES
5 UEFA Champions Leagues
3 Copas de Liga de la UEFA
3 Supercopas de la UEFA

48

GALARDONES NACIONALES
18 Ligas Inglesas
7 Copas de Inglaterra
8 Copas de Liga de Inglaterra
15 Supercopas de Inglaterra

2005
Camiseta con la que ganó la Champions League

1892
Primera camiseta

1896
Primera camiseta roja

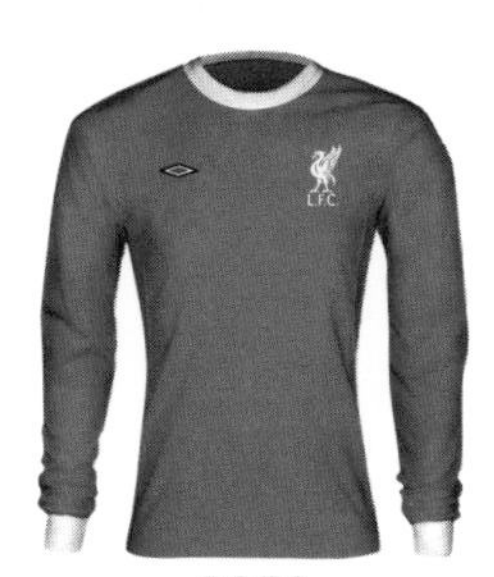

1973
Camiseta con la que ganó la Liga Europea

2013
Camiseta de local

Liverpool

El rojo de la victoria

¿Y si el éxito del Liverpool se debiera al color de su camiseta? Para muchos, esa sería una teoría terriblemente simplista, pero es exactamente lo que sugirieron en 2008 los investigadores científicos de Durham y Plymouth. Según un estudio publicado el 12 de marzo de ese año, no es coincidencia que el Arsenal (13 títulos), el Manchester United (20) y el Liverpool (18) acaparen la mayoría de los trofeos disputados, ya que los equipos que juegan de rojo ganan más a menudo. El estudio indicó que las camisetas rojas dan ventaja en relación a la respuesta sensorial que producen. A menudo se dice que, en la naturaleza, el color rojo se asocia a la agresividad masculina y la necesidad de destacar. Para llegar a estas conclusiones, el doctor Barton y el doctor Hill se centraron en los partidos en casa, donde los equipos locales llevan sus colores auténticos. Lo que quedó claro fue que los equipos de rojo ganaban más a menudo que los otros. El doctor Barton ha propuesto dos posibles explicaciones a este fenómeno: que los seguidores se sienten de forma inconsciente más atraídos por los equipos que visten el rojo, o bien que el rojo aporta una ventaja psicológica. Lo que el estudio no menciona es que el Liverpool, igual que el Arsenal y el United, tienen tres de los mayores presupuestos de la Premier League. Merece la pena apuntar que, con sus recursos aparentemente ilimitados, el Chelsea ganó el título tres veces en la última década, y el Manchester City se coronó campeón en 2012.

EQUIPOS EN LA LIGA INGLESA POR COLOR DE CAMISETA (1947-2003)

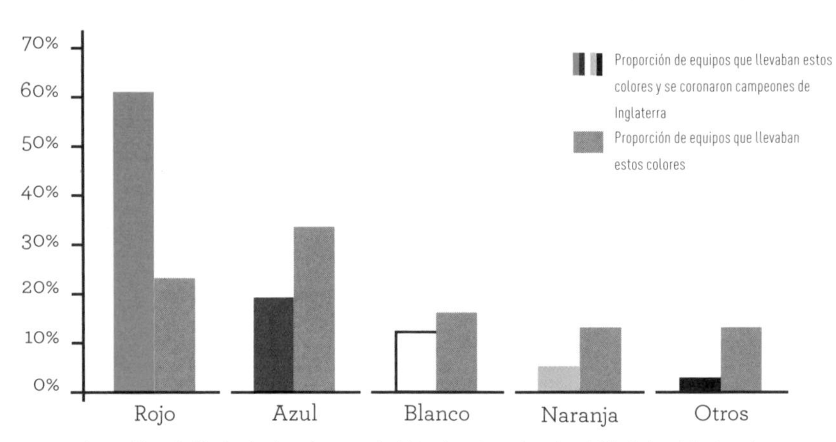

Extracto del estudio "El color rojo en la camiseta se asocia al éxito a largo plazo en los equipos de fútbol ingleses", llevado a cabo por Robert Barton y Russell Hill (marzo de 2008).

ESTAMBUL (TURQUÍA), ESTADIO OLÍMPICO ATATURK

25 DE MAYO DE 2005

Steven Gerrard, el carismático capitán del Liverpool, levanta el puño tras la victoria del club sobre el AC Milan en la final de la Champions League.

(Siguiente)
El Kop en Anfield, estadio del Liverpool.

The Final 2005

WALK ALONE
LIVERPOOL FC
THIS IS ANFIELD
El Niño
LIVERPOOL
WALK ON
WALK ON
WITH HOPE IN YOUR HEART
LIVERPOOL
WALK ALONE

YOU'LL NEVER WALK ALONE
18 92
L.F.C.
LIVERPOOL
LIVERPOOL
LIVERPOOL
LIVERPOOL FC
YOU'LL NEVER WALK ALONE
TIMES CHAMPIONS OF EUROPE
LIVERPOOL

Una *Old Lady* con sentido inglés de la moda

FUE EL RESULTADO DE UN ERROR EN INGLATERRA EL QUE *LA VECCHIA SIGNORA* ABANDONARA SUS CAMISETAS ROSAS EN FAVOR DE LAS ICÓNICAS FRANJAS AHORA RECONOCIDAS EN TODO EL MUNDO.

El 1º de noviembre de 1897, trece jóvenes estudiantes se reunieron en una banca en Turín para establecer un club polideportivo. Sus edades iban de 14 a 17 años, por lo que lo llamaron "Club Deportivo Juventus" ("joven" en latín). Como todavía no estaban disponibles las camisetas de rayas, empezaron jugando en rosa, con una corbata y pantalones negros de golf. Pero como las camisetas eran de baja calidad, se desteñían pronto. En 1903, pidieron a Nottingham Forest que les enviara algunas de sus camisetas rojas, pero debido a una confusión enviaron a Italia unas camisetas a rayas blancas y negras del Notts County, y el Juventus ha jugado en colores *bianconeri* desde entonces, considerándolos "agresivos y poderosos". Efectivamente se volvieron poderosos el 24 de julio de 1923, el día en que Edoardo Agnelli, hijo de Giovanni, el fundador de la Fiat, compró el equipo. Desde entonces, la alianza entre las clases altas del Piamonte, quienes operan las cosas, y los trabajadores italianos del sur de las fábricas de Fiat de Turín, que apoyan al equipo, han hecho posible que el club, renombrado "Club de Fútbol Juventus" en 1945, se convierta en *La Fidanzata d'Italia* ("La Novia de Italia").

10

GALARDONES GLOBALES
- 2 UEFA Champions Leagues
- 3 Copas de Liga de la UEFA
- 1 Recopa de la UEFA
- 2 Supercopas de la UEFA
- 2 Copas Intercontinentales

43

GALARDONES NACIONALES
- 29 Ligas Italianas
- 9 Copas de Italia
- 5 Supercopas de Italia

2003
Camiseta de finalista
de la Champions League

1898
Primer uniforme

1930-1935
Camiseta del "quinquennio d'oro" con 5 Scudetti consecutivos

1984
Camiseta con la que ganó la Liga Italiana y la Recopa

1996
Camiseta con la que ganó la Champions League la Copa de Italia y la Liga Italiana

Juventus

Platini
dió todo lo que tenía

El 17 de mayo de 1987, tras despedirse de 30,000 *tifosi* reunidos en el vetusto Stadio Comunale, Michel Platini desapareció en el horizonte después de un emocionante encuentro Juventus-Brescia (3 -2), con nada más que buenos recuerdos rondando su cabeza, y sin ninguna de las camisetas que usó durante su inmensa carrera. "Ni siquiera tengo mi última del Juventus", explica el anterior número 10, elegido Presidente de la UEFA el 26 de enero de 2007. "Realmente no me he quedado con ninguna. Las he dado todas a amigos, a organizaciones de caridad para que pudieran sacar algún dinero, y a mucha, mucha gente que me las pidió cuando era joven".

Pero Platini sí se quedó con algunos objetos. "De hecho, yo solamente me quedaba con recuerdos redondos, como dos de mis tres trofeos Balón de Oro al Jugador Europeo del Año (1983, 1984 y 1985). Uno está en la casa del señor Agnelli (Giovanni Agnelli fue presidente del club cuando Platini estaba en el Juventus, y falleció el 24 de enero de 2003). Los otros dos están en casa; uno lo tiene mi hijo y el otro mi hija. El Sr. Agnelli me preguntó un día: "¿Realmente está hecho de oro?" Y yo respondí: "¿Estás loco? ¡Nunca te lo hubiera dado de ser así! Es solamente dorado". A cambio, me dio uno de platino. La única cosa que guardé que no era redonda es la antorcha olímpica de los Juegos de Invierno de Albertville que llevé en 1992. Todavía la conservo."

Michel Platini representó los icónicos colores del Juventus desde 1982 hasta 1987. Su entrenador, Giovanni Trapattoni, dijo del francés: "Es un genio, un hombre que ha nacido para jugar al fútbol".

(Siguiente)
Alessandro del Piero (izquierda), mayor goleador de todos los tiempos del Juventus, con 289 tantos, y Gianluigi Buffon (derecha), la transferencia récord del club (por 54 millones de euros en 2001).

ARISTON
SELECT

BetClic

FIAT GROUP

Perspectiva Internacional

FUNDADO POR VOCES INCONFORMES DEL AC MILAN, QUE NO ESTABAN DE ACUERDO CON EL RECHAZO DEL CLUB A ALINEAR EXTRANJEROS, EL INTERNAZIONALE SUFRIÓ BAJO EL RÉGIMEN FASCISTA DE ITALIA ENTRE LAS GUERRAS.

Establecido el 9 de marzo de 1908 en el restaurante Orologio por antiguos miembros del AC Milan, el Internazionale tomó su nombre del deseo de sus fundadores de permitir que se unieran jugadores extranjeros al recién formado equipo. La negativa del Milan a permitir jugar a los 44 disidentes italianos y suizos fue la principal razón para que decidieran dejar el club e iniciar uno propio. El Inter de Milán perdió sus colores negro y azul originales en 1928, cuando el régimen fascista, que había prohibido que cada ciudad tuviera más de un club, los obligó a fundirse con el US Milanese para formar la entidad conocida como Ambrosiana, en honor a San Ambrosio, el santo patrono de Milán. Tras un periodo de 17 años durante el que llevaron una camiseta blanca con una cruz roja (el emblema de la ciudad), volvieron a su nombre y colores originales en 1945. No obstante, la camiseta blanca vio la luz en otra ocasión, ya que se utilizó durante la temporada 2007-2008, el año del centenario del Inter de Milán. En 1967 añadieron una estrella sobre la insignia del club, para honrar sus diez títulos de la Liga Italiana. En mayo de 2011, se convirtió en la primera camiseta de fútbol que llegó al espacio, cuando el astronauta Paolo Nespoli la llevó consigo en una misión. De internacional, a interplanetaria...

9

GALARDONES GLOBALES

3 UEFA Champions Leagues
3 Copas de Liga de la UEFA
2 Copas Intercontinentales
1 Copa Mundial de Clubes de la FIFA

30

GALARDONES NACIONALES

18 Ligas Italianas
7 Copas de Italia
5 Supercopas de Italia

2010
Camiseta con la que ganó la Champions League, la Copa de Italia, la Supercopa de Italia y la Liga Italiana

1910
Camiseta con la que ganó la Liga Italiana

1928-1945
Camiseta "Ambrosiana", blanca con una cruz roja

1965
Camiseta con la que ganó la Champions League

1998
Camiseta con la que ganó la Liga Europea

Inter de Milán

Facchetti, 3 para la eternidad

Lateral izquierdo del renombrado equipo "Grande Inter" (1960-1968) antes de pasar a ser presidente del club en 2004, Giacinto Facchetti dejó huella en la historia del club que amó, y fue el primer jugador *nerazzurro* cuyo número, el 3, fue retirado tras su muerte, el 4 de septiembre de 2006, a la edad de 64 años. Al defensa argentino Nicolás Burdisso, que llevaba el 3 para el Inter en el momento del fallecimiento de Facchetti, le cambiaron el número por el 16.

La retirada de un número no tiene por qué ser permanente. El número 17 llevado en el Lyon por Marc-Vivien Foé, que murió de un fallo cardiaco durante la semifinal de la Copa FIFA Confederaciones entre Camerún y Colombia el 26 de junio de 2003, regresó a la cancha llevado por otro camerunés en 2008. Este honor se le ha concedido a menos de 150 jugadores en todo el mundo, y también se les puede otorgar en vida. El AC Milan retiró el número 6 como tributo al capitán Franco Baresi al final de su carrera, así como el 3 que llevó Paolo Maldini. En el futuro, solamente Christian y Daniele, los dos hijos del ex defensa, tendrán derecho a lucir el número 3. Como el Santos (Brasil) y el Cosmos de Nueva York (Estados Unidos) hicieron con Pelé, el Nápoles y el Brescia retiraron la camiseta número 10 en honor a Diego Maradona y Roberto Baggio, respectivamente. En el Ajax nadie ha tenido el 14 desde el 25 de abril de 2007, fecha del cumpleaños 60 de Johann Cruyff. El Real Madrid bien podría hacer lo mismo con su camiseta número siete, ahora que Cristiano Ronaldo la ha convertido en un auténtica marca ("CR7").

La costumbre de retirar camisetas míticas proviene del deporte americano. El primero en hacerlo fue el equipo de fútbol americano de los Gigantes de Nueva York en 1935, retirando el número 1 que llevó Ray Flaherty. Uno de los casos más famosos sigue siendo el número 23, que llevó con los Bulls de Chicago la superestrella del baloncesto Michael Jordan. De acuerdo con una tradición japonesa, este honor especial también puede otorgarse a los seguidores, y muchos clubes han asignado a su afición más leal un número permanente, normalmente el 12.

Giacinto Facchetti en 1971

Bayern München

Del gimnasio al FC Hollywood

CREADO TRAS SEPARARSE DE UNA ORGANIZACIÓN POLIDEPORTIVA, EL BAYERN MÜNCHEN SE HA CONVERTIDO, PESE A NUMEROSOS PROBLEMAS INTERNOS, EN UNO DE LOS EQUIPOS MÁS POTENTES Y ADMIRADOS DE EUROPA.

La mañana del 27 de febrero de 1900, el club de gimnasia de Munich MTV 1879 se negó a que su división de fútbol se uniera a la Asociación Alemana de Fútbol (DFB). Esa misma tarde, 11 de sus miembros fundaron el FC Bayern München ("Bayern" significa "bávaro" en alemán). Por desgracia, el ascenso al poder de los nazis en 1933 interrumpió bruscamente su crecimiento. El presidente y el entrenador, ambos judíos, se vieron obligados a huir de Alemania, mientras que el Bayern, conocido ya como "el club judío", luchaba contra la ignorancia en casa. No obtuvieron el ascenso a la Bundesliga sino hasta 1965, dos años después de iniciarse el campeonato profesional. A pesar de varios dramas notorios que les hicieron ganarse el apodo de "FC Hollywood", los bávaros han llegado a convertirse en uno de los clubes más formidables, estables y respetados de Europa. La camiseta del Bayern ostenta cuatro estrellas (véase la página 158). Con el fin de dar gracias y honrar a los jugadores históricos del equipo se creó un "Muro de la Fama", que incluye a 14 alemanes así como al delantero brasileño Giovane Elber y al defensa francés Bixente Lizarazu.

9

GALARDONES GLOBALES

5 UEFA Champions Leagues
1 Copa de Liga de la UEFA
1 Recopa de la UEFA
2 Copas Intercontinentales

49

GALARDONES NACIONALES

23 Ligas Alemanas
16 Copas de Alemania
6 Copas de Liga de Alemania
4 Supercopas de Alemania

2001
Camiseta con la que ganó
la Champions League

1932
Camiseta con la que ganó
la Liga Alemana

1967
Camiseta con la que
ganó la Recopa

1974-1976
Camiseta con la que ganó 3
veces la Champions League

2013
Camiseta con la que ganó
la Liga Alemana

Bayern München

El fetiche de **Lizarazu con el 69**

La última camiseta que llevó el jugador internacional francés Bixente Lizarazu, de enero de 2005 a junio de 2006, alimentó muchas fantasías. Y con razón: el número que eligió fue el 69. "Era un número insólito, que hizo hablar y sonreír a mucha gente", recuerda Lizarazu. "Cada uno tiene sus supersticiones: mi número de la suerte es el 3. Todavía firmo autógrafos añadiendo un pequeño 3. Pero cuando pasé del Bayern al Marseille en 2004, Lucio, el medio defensivo brasileño, se lo quedó. A mi regreso al Munich me sentí un poco ridículo sin mi número. Me puse a pensar en otros números. Quería algo que llamara la atención y fuera gracioso, y ahí estaba: el 69. Es el año en que nací, mi altura y mi peso. Al menos era mi peso en mis comienzos, porque para entonces ya había engordado hasta los 74 kg", cuenta riendo. Y añade: "Nadie se había atrevido a hacer eso en Alemania. En términos de marketing fue todo un acierto. Pero la connotación sexual no fue lo primero que me vino a la cabeza."

No se podría decir lo mismo de Dino Drpić. Deseoso de aumentar las ventas de su camiseta, el defensa internacional croata optó por el 69 al llegar a Karlsruhe en febrero de 2009. Pero la Liga Alemana rechazó la idea con el pretexto de que las cifras eran muy difíciles de leer desde lejos. Drpić se vio obligado a llevar el 11 en su lugar. Pero eso es sólo parte de la historia. El defensa balcánico eligió el controvertido número por sugerencia de su esposa, Nives Celsius, una ex modelo de Playboy que confesó públicamente que había tenido sexo con Drpić en una cancha de fútbol de Croacia. Al prohibir el 69, al menos en las camisetas, las autoridades futbolísticas alemanas probablemente trataban de evitar futuros escándalos. En agosto de 2010 prohibieron el uso de cualquier número por encima de 40.

MUNICH (ALEMANIA), ALLIANZ ARENA
13 DE MAYO DE 2006
El francés Bixente Lizarazu celebra su sexta victoria de Liga Alemana con el Bayern München.

(Siguiente)
El Allianz Arena, iluminado aquí con el rojo del Bayern München, luce en azul para los partidos del 1860 Munich, y en blanco cuando la selección alemana está en la ciudad.

69

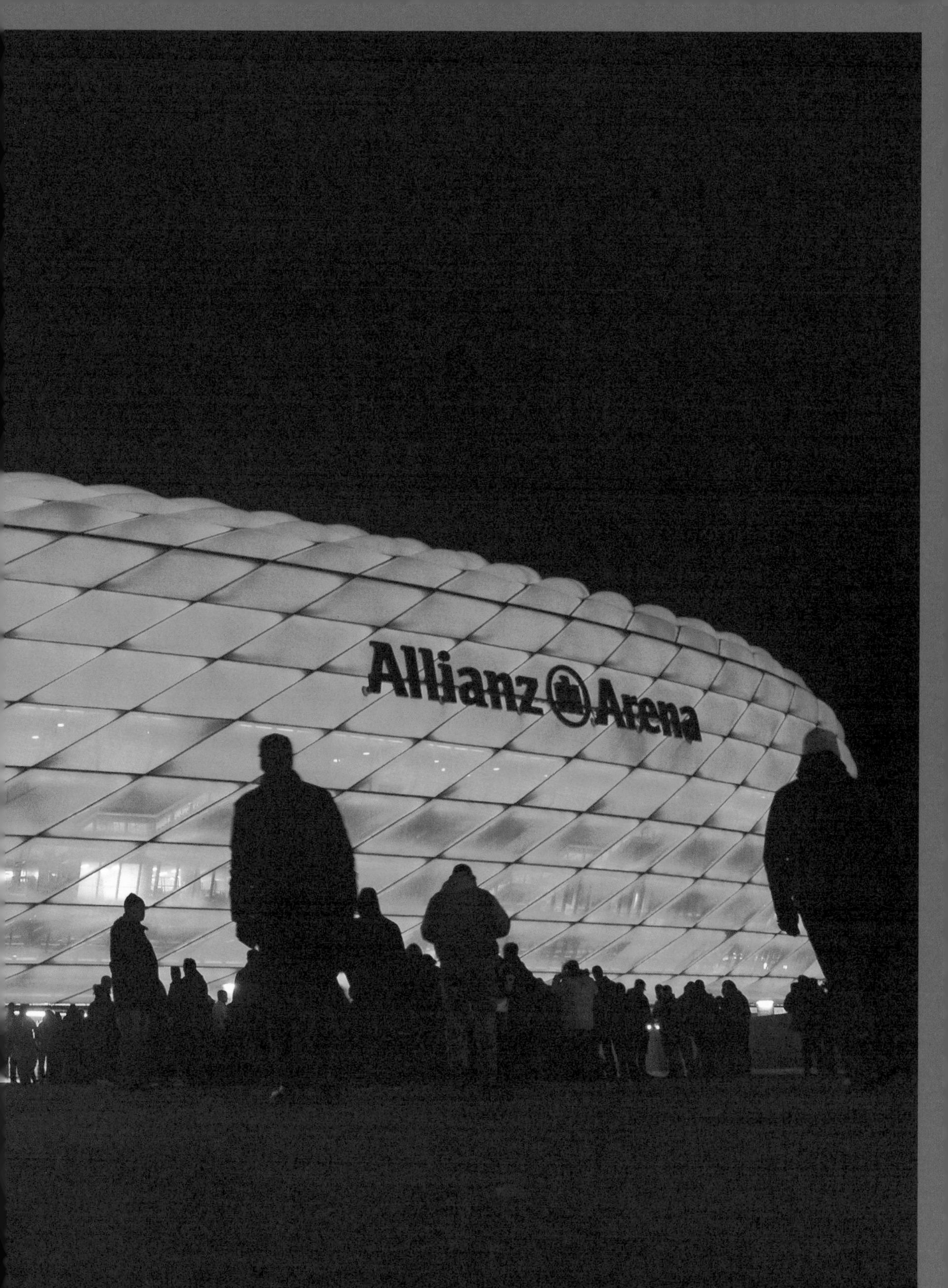
Allianz Arena

El Santos foco de atención

DESDE PELÉ HASTA NEYMAR, EL SANTOS HA SIDO UN TRAMPOLÍN PARA UN SINNÚMERO DE JUGADORES ICÓNICOS A LO LARGO DE LOS AÑOS. ESTA REPUTACIÓN LE VALIÓ AL CLUB EL QUINTO PUESTO EN LA CLASIFICACIÓN DE LA FIFA DE LOS MEJORES CLUBES DEL SIGLO EN DICIEMBRE DE 2000.

El 14 de abril de 1912, cuando tres hombres se reunieron sobre una panadería con la intención de formar otro club de fútbol en el estado de São Paulo, no imaginaron que estaban haciendo historia. El Santos Futebol Clube, creado en aquel día auspicioso, llegaría a producir y promover a magos del balón como Pelé, Robinho y Neymar.

Una de las primeras tareas de los fundadores fue elegir el color de la camiseta de su nuevo club. Primero escogieron rayas blancas, azules y doradas. Pero como resultaba demasiado complicado fabricarla en esa época, desde el 31 de marzo de 1913 el Santos optó por bandas blanquinegras, como las que usaba el Juventus. Pero con el tiempo se decidieron por una franja sólo en blanco. En 2012 llevaron un tercer atuendo, en turquesa, para señalar el centenario del club. La ciudad de Santos se encuentra cerca de la ciudad de São Paulo, el corazón económico de Brasil, y cuenta con el mayor puerto marítimo del país. Por ello los fundadores del club decidieron adoptar una criatura marina, la ballena, como mascota. Aunque no aparece en el escudo del club, los antiguos patrones de Pelé han sido apodados por largo tiempo los "Peixe" ("Peces").

8

GALARDONES GLOBALES

3 Copas Libertadores
1 Copa CONMEBOL
1 Supercopa Libertadores
1 Recopa Sudamericana
2 Copas Intercontinentales

34

GALARDONES NACIONALES

8 Ligas Brasileñas
20 Campeonatos Paulistas
1 Copa de Brasil
5 Torneios Rio - São Paulo

2011
Camiseta con la que ganó la Copa Libertadores

1912
Primera camiseta

1935
Camiseta con la que ganó el primer Campeonato Paulista

1963
Camiseta con la que ganó la Copa Libertadores

2012
Camiseta de visitante

Santos

El tributo de Neymar **a Romario**

Nacido en el estado de São Paulo el 5 de febrero de 1992, Neymar da Silva Santos Júnior, más conocido como Neymar, se ha convertido en el héroe del fútbol brasileño. Desde muy joven, este prodigio con el pelo a lo mohicano ha estado batiendo récords, y no sólo en la cancha. Ya era rico a los 21 años, y ni sus ingresos ni la enorme cláusula de rescisión de su contrato tienen visos de ir a reducirse.

Pero hay un número que no ha crecido tanto: el de su camiseta. Comenzó llevando el 7, como Robinho, con el que se le suele comparar y con quien jugó en el Santos de enero a junio de 2010, y luego se quedó con el 11. "Un día", recuerda, "me preguntaron qué número me gustaba más. Respondí 'el 11', y me lo dieron. Siempre había admirado a Romario [el antiguo seleccionado de Brasil], que llevaba el 11. Desde entonces, comencé a apreciar aún más el número y a usarlo en el juego."

Ha habido algunas excepciones a la norma autoimpuesta de Neymar. Para celebrar el centenario del Santos, llevó el número 100 en un partido –su 101ª aparición– contra el Palmeiras. Después permitió subastar esa pieza de coleccionista, cuyos beneficios se destinaron a una asociación humanitaria contra el cáncer infantil. Aún más insólito fue el número 360 que llevó contra el Corinthians en octubre de 2010, en referencia a la plataforma C360 lanzada por la compañía CSU CardSystem, uno de los patrocinadores del Santos, y que convirtieron a Neymar en un anuncio andante... o corredor. En el siguiente partido regresó a su tradicional número 11.

Neymar, el prodigio brasileño, se abrió paso entre las filas del Santos, en el que se ha convertido en una gran estrella.

BMG
NETSHOES
11
CSU

FC Porto

El Dragón, un mito viviente

Emblema del Estádio do Dragão

EL MAYOR CLUB DE PORTUGAL UTILIZA EL LEGENDARIO DRAGÓN, QUE DA NOMBRE A SU ESTADIO, PARA INSPIRAR TEMOR A SUS OPONENTES.

Fundado el 28 de septiembre de 1893, el Futebol Clube do Porto alcanzó notoriedad en 1904 al convertirse en el club más exitoso de Portugal. Los colores blanco y azul surgen del deseo de sus primeros responsables por aportar a su club polideportivo una fuerte identidad nacional. Para lograrlo tomaron los colores de la bandera real portuguesa. Originalmente, la insignia consistía en una pelota azul con las letras "FCP", a la que se añadió en 1922 el escudo de armas de la ciudad de Oporto para simbolizar el fuerte lazo entre el club y la ciudad. Sobre las almenas de la ciudad se asienta un dragón, que la defiende de posibles invasores. La mitología del dragón transmite la idea de que los habitantes de Oporto nunca se rinden y les motiva un espíritu de conquista. Este simbolismo tiene tal alcance que cuando el nuevo estadio del club abrió, el 16 el noviembre de 2003, fue bautizado "Estádio do Dragão" (Estadio del Dragón). Desde entonces, "a Chama do Dragão" (la llama del dragón) ha hecho brillar con fuerza al FC Porto, tanto en la liga nacional como en Europa.

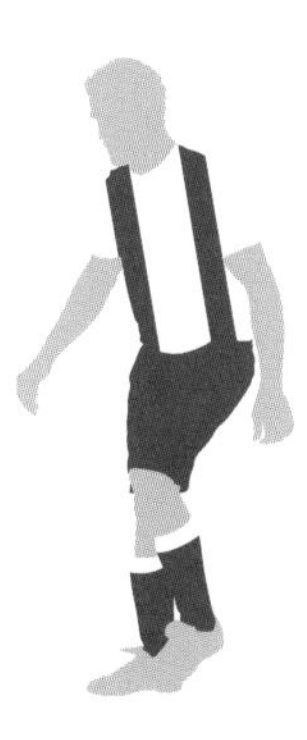

7

GALARDONES GLOBALES

2 UEFA Champions Leagues
2 Copas de Liga de la UEFA
1 Supercopa de la UEFA
2 Copas Intercontinentales

66

GALARDONES NACIONALES

27 Ligas Portuguesas
20 Copas de Portugal
19 Supercopas de Portugal

2004
Camiseta con la que ganó la Champions League

1935
Primera camiseta con la que ganó la Liga Portuguesa

1987
Camiseta con la que ganó la Champions League, la Copa Intercontinental y la Supercopa de la UEFA

2002
Camiseta de local

2011
Camiseta con la que ganó la Liga Portuguesa y la Liga Europea

FC Porto

¿Una camiseta **nunca llevada?**

A menudo es posible que un jugador pose con su nueva camiseta del FC Porto y nunca, o casi nunca, se la ponga para jugar. Esto se debe a que, al contrario que en otros países, la legislación portuguesa no restringe el número de préstamos de jugadores permitido. Por tanto el Porto, igual que el Benfica, no dudan en usar su presupuesto de 100 millones de euros (el mayor del país) para asegurarse el mayor número posible de jugadores. En 2005, el Porto tenía al menos 83 jugadores en lista. Desde entonces, la cifra ha descendido a unos 60. Esta reducción ha permitido a los *Dragões* compensar unos raquíticos derechos con la televisión local y les ha ayudado competir en el ámbito europeo. Maestros en el arte de especular con jugadores jóvenes, especialmente los de Latinoamérica, con el propósito de revenderlos con un beneficio sustancial, el Porto ha estrechado lazos con agentes influyentes, ofreciéndoles un porcentaje de los beneficios de la reventa. En el Porto, los agentes tienen un escaparate ideal para exhibir a sus jugadores cuando llegan a Europa. Mediante este sistema, el club ha vendido más de 20 jugadores por 10 millones de euros o más en las temporadas más recientes. Sus negocios más impresionantes fueron el delantero brasileño Hulk (en la foto), vendido al Zenit de San Petersburgo en 60 millones el 3 de septiembre de 2012, y el ariete colombiano Falcao, traspasado al Atlético de Madrid por 47 millones el 18 de agosto de 2011, después de que se lo compraran al River Plate en 5.5 millones dos años antes. Pero por supuesto, esas estrellas en particular sí llevaron en la cancha la camiseta del Porto...

El delantero colombiano Falcao salta sobre la espalda de su compañero de ataque, Hulk. Además de sus muchos goles, el dúo dinámico hizo ganar al Porto la nada desdeñable suma de 107 millones de euros, cuando los vendieron en 2011 y 2012 respectivamente.

meo
tmn

Manchester United

Los (muy) queridos **Diablos Rojos**

ADEMÁS DEL EQUIPO MÁS LAUREADO EN LA HISTORIA DEL FÚTBOL DE INGLATERRA, EL MANCHESTER UNITED ES TAMBIÉN UN PRÓSPERO NEGOCIO. TERCER CLUB MÁS RICO DEL MUNDO, RECIENTEMENTE OBTUVO UNA GANANCIA RÉCORD DE 36 MILLONES DE EUROS.

Fundado en 1878 como el Newton Heath LYR FC en honor a un depósito ferroviario, el club cambió su uniforme verde y oro por una camiseta roja y pantalones blancos en 1902, el mismo año en que se le rebautizó como "Manchester United FC". Pero los mancunianos no se convirtieron en los "Diablos Rojos" hasta mucho después. Al enterarse de que el Salford, un equipo vecino de rugby, usó el apodo de "Diablos Rojos" en un torneo en Francia durante los años 30, su director, Sir Matt Busby, decidió que ese apodo amenazador le quedaría como un guante a sus "Busby Babes". Desde 1967, un diablo rojo armado con un tridente se asienta orgulloso en el centro del emblema del club. Y es un emblema que vale millones. La corporación automotriz americana General Motors acordó recientemente pagar una suma anual de 38 millones de euros durante siete temporadas, a partir de la de 2014-2015, para que la famosa camiseta roja exhibiera su marca Chevrolet.

7

GALARDONES GLOBALES
3 UEFA Champions Leagues
1 Recopa de la UEFA
1 Supercopa de la UEFA
1 Copa Intercontinental
1 Copa Mundial de Clubes de la FIFA

54

GALARDONES NACIONALES
20 Ligas Inglesas
11 Copas de Inglaterra
4 Copas de Liga de Inglaterra
19 Supercopas de Inglaterra

2008
Camiseta con la que ganó
la Champions League

1902
Primera camiseta roja

1968
Camiseta con la que ganó
la Champions League

1999
Camiseta con la que ganó
la Champions League

2013
Camiseta con la que ganó
la Liga Inglesa

MARADONA GOOD (*) PELĒ BETTER GEORGE BEST

Beckham no sabe patear con el pie izquierdo, rematar de cabeza ni hacer barridas, y no marca bastantes goles. Aparte de eso, no está mal.

Si yo hubiera sido feo, jamás habrían oído hablar de Pelé.

En 1969 dejé las mujeres y el alcohol. Fueron los peores 20 minutos de mi vida.

"GASTÉ MUCHÍSIMO DINERO EN BEBIDA, PÁJAROS Y COCHES DEPORTIVOS. EL RESTO LO DESPILFARRÉ."

LA LEYENDA DEL NÚMERO 7

Todo empezó en 1961, cuando el cazatalentos del Manchester United, Bob Bishop, descubrió a un muchacho de 15 años llamado George Best. Sólo hizo falta una sesión de entrenamiento para que el club lo contratara. Después de siete años y seis trofeos, Best fue declarado en 1968 Futbolista Europeo del Año, y así nació la leyenda del número 7. Este portento superó por mucho el ámbito futbolístico. Capaz de absolutamente cualquier cosa, tanto dentro como fuera del terreno de juego, el talentoso lateral fue la primera superestrella del fútbol de su época. Destituido por el United en 1974, se dio a la bebida, cayó en la ruina financiera y murió el 25 de noviembre de 2005 a los 59 años. Best, que fue ídolo de Maradona, recibió poco menos que un funeral de Estado en Belfast. Bryan Robson llevó entonces el número 7 de 1981 a 1994, antes de que Eric Cantona, el *enfant* terrible exiliado de Francia, reavivara la leyenda. Tras el repentino retiro de "The King", votado por los aficionados como el mejor jugador de todos los tiempos del United, David Beckham heredó el número. El "Spice Boy", por su parte, se lo pasaría a Cristiano Ronaldo en 2003. Cuando el ariete portugués se unió al Real Madrid en 2009, Michael Owen, el Futbolista Europeo del Año en 2001, vistió la camiseta, pero con menor éxito. Cuando el internacional japonés Shinji Kagawa declinó llevarla el año pasado, le tocó el turno al lateral ecuatoriano Antonio Valencia. No obstante, los seguidores del Manchester United estarían encantados de ver a un nuevo George Best devolverle su esplendor al legendario número 7.

(Siguiente)
BARCELONA (SPAIN), CAMP NOU
26 DE MAYO DE 1999
Solskjaer anota, señalando un increíble retorno del Manchester United. Los "Diablos Rojos" perdían 0-1 ante el Bayern de Munich en el minuto 91 de la final de la Champions League, antes de que dos tantos relámpago les dieran la victoria 2-1.

(*) Maradonna bien. Pelé mejor. George Best.

UMBRO

Big Mac

Los Millonarios **regresan del abismo**

EN 2011, AL CLUB ATLÉTICO RIVER PLATE LE SUCEDIÓ LO IMPENSABLE. EL EQUIPO, FUNDADO EL 25 DE MAYO DE 1901 Y QUE SE HABÍA GANADO EL APOYO DE LAS ZONAS DE CLASE MEDIA DE BUENOS AIRES, SE VIO RELEGADO A SEGUNDA DIVISIÓN POR PRIMERA VEZ EN SU IMPRESIONANTE TRAYECTORIA.

La Máquina tal como se conocía al River Plate desde los años 40, cuando el equipo avanzaba a todo vapor en la Liga Argentina, descarriló estrepitosamente el 26 de junio de 2011. Por primera vez desde el 2 de mayo de 1909, fecha de su debut en las ligas superiores, fue degradada tras la derrotada definitiva en un partido de desempate contra el Belgrano (0-2, 1-1). El partido de vuelta ni siquiera duró los 90 minutos reglamentarios, ya que los seguidores del club invadieron la cancha del Estadio Monumental hacia el final. Además de los importantes daños causados al estadio, hubo 89 heridos y cerca de otros 50 fueron arrestados. Finalmente, y con los ánimos ya aplacados, la afición del River Plate demostró su devoción a los icónicos colores del equipo, blanco con una banda roja en diagonal (añadida por los genoveses fundadores del club durante el carnaval de Buenos Aires de 1905, para darle un toque de color). Sus seguidores se presentaron en masa para apoyar a *Los Millonarios* en la segunda división, y vieron recompensada su lealtad el 23 de junio de 2012, cuando el River volvió al escalafón superior del fútbol argentino al vencer al Almirante Brown 2-0, gracias a dos goles del delantero francés David Trezeguet.

5

GALARDONES GLOBALES
2 Copas Libertadores
1 Copa Intercontinental
1 Supercopa Libertadores
1 Copa Interamericana

33

GALARDONES NACIONALES
33 Ligas Argentinas

1986
Camiseta con la que ganó la Copa Libertadores

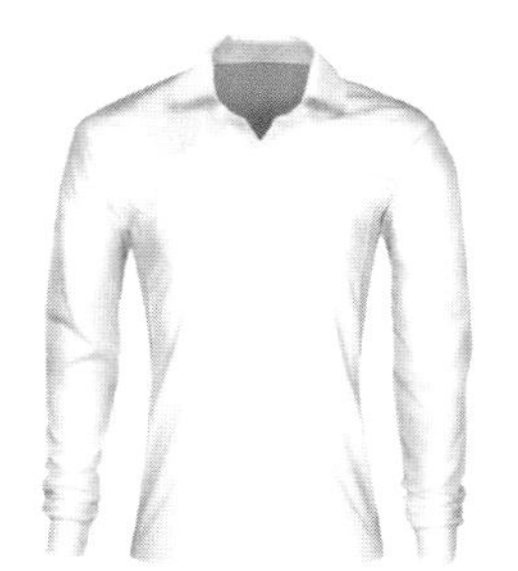

1901-1905
Primera camiseta

1908
Camiseta con la que el club subió a primera división

1920
Camiseta con la que ganó la primera Liga Argentina

2012
Camiseta de visitante

TRAMO
adidas
PETRO
adidas

La gallina y el león

La historia parece sacada de las fábulas de Esopo. Los dirigentes del River Plate, conocidos como *Los Millonarios*, estaban hartos de que los llamaran *Las Gallinas* desde su inesperada derrota 4-2 contra los titanes uruguayos del Peñarol, en la final de la Copa Libertadores de 1966. En el siguiente partido de liga, los seguidores del Banfield soltaron en el campo una gallina con una cinta roja, y el vergonzoso apodo se les quedó. En consecuencia, en 1986 Hugo Santilli, presidente del club de 1983 a 1989, decidió añadir el emblema de un león dibujado por Caloi, un famoso caricaturista argentino, al frente de la camiseta. También eliminó la banda roja de la espalda de la camiseta. Este cambio en especial causó un alboroto entre los incondicionales del River, indignados de que su camiseta se pareciera a cualquier otra por detrás. Curiosamente, con esta nueva imagen el River vivió la época más fructífera de su historia, con su 13ª victoria en el Campeonato Argentino, su primera Copa Libertadores, su primera y única Copa Intercontinental y una Copa Interamericana, todo en un periodo de sólo dos años. Al tomar el relevo de Santilli, Alfredo Davicce, que dirigió el club de 1989 a 1997, eliminó el león y restableció la banda. Y el River Plate tardó diez años en volver a ganar un trofeo internacional. ¿La moraleja? Más vale corazón de león que corazón de gallina.

BUENOS AIRES (ARGENTINA), ESTADIO MONUMENTAL
23 DE JUNIO DE 2012
Gracias a los dos goles del as francés David Trezeguet sobre el Almirante Brown, el River Plate hizo un retorno relámpago a la Primera División argentina un año después de su primer descenso.

Cómo Los Pensionistas se **convirtieron en el Chel$ki**

VISTOS POR LARGO TIEMPO COMO SEGUNDONES EN EL JUEGO INGLÉS, EL CHELSEA, CONOCIDO ORIGINALMENTE COMO "PENSIONISTAS" Y REBAUTIZADOS "AZULES" EN 1952, SE HAN CONVERTIDO EN UNO DE LOS CLUBES MÁS POTENTES DEL MUNDO.

Cuando los agentes inmobiliarios renovaron el Stamford Bridge en 1877, tuvieron en cuenta cualquier eventualidad, excepto la negativa del equipo local Fulham a jugar en él. Sin otro remedio que sacarse de la manga un club residente, le adjudicaron el nombre del municipio contiguo, y así el Chelsea FC nació el 10 de marzo de 1905. Eligieron camisetas verde azuladas, color de la cuadra del presidente del club, Earl Cadogan. El color cambió a azul rey en 1912. En ese tiempo, el emblema del club fue modificado un mínimo de siete veces. Originalmente, el escudo mostraba a un Pensionista de Chelsea (en referencia a los antiguos miembros del ejército británico alojados en el asilo Royal Hospital de Chelsea). Pero retiraron la imagen en 1952, cuando los "Pensionistas" pasaron a conocerse como los "Azules". Inspirándose en el escudo de armas del Municipio Metropolitano de Chelsea y el propio escudo de Cadogan, así como el de los señores de la Casa de Chelsea, se añadió a la camiseta un león azul mirando atrás y sosteniendo un bastón. El león apareció sentado entre 1986 y 2005, año del centenario del club. Cuando el multimillonario ruso Roman Abramovich tomó las riendas el 2 de julio de 2003, el escudo recuperó el león tradicional, símbolo del pasado y de un futuro prometedor.

5

GALARDONES GLOBALES
1 UEFA Champions League
2 Recopas de la UEFA
1 Supercopa de la UEFA
1 Copa de Liga de la UEFA

19

GALARDONES NACIONALES
4 Ligas Inglesas
7 Copas de Inglaterra
4 Copas de Liga de Inglaterra
4 Supercopas de Inglaterra

2012
Camiseta con la que ganó la Champions League

1905
Primera camiseta

1955
Camiseta con la que ganó la primera Liga Inglesa

1971
Camiseta con la que ganó el primer Trofeo Europeo

1998
Camiseta con la que ganó la Recopa

Chelsea

Drogba, un fan de los Azules

Un enorme retrato de Didier Drogba observa desde el Shed End, el histórico muro que sostiene el graderío sur de Stamford Bridge. En él aparece besando el emblema del Chelsea en el campo del Allianz Arena, escenario del mayor logro de los Azules: ganar la Champions League. Fue Drogba quien, casi por sí solo, brindó el mítico trofeo a la afición del Chelsea el 19 de mayo de 2012, empatando con un remate de cabeza en el minuto 88 y después marcando el gol de la victoria en la tanda de penaltis contra el Bayern de Munich (1-1, 4-3 tras los penaltis). Esta imagen asegura la presencia perpetua del marfileño en los corazones de la afición del club londinense. El 2 de noviembre de 2012, incluso votaron por él como mejor jugador del Chelsea de todos los tiempos, por encima de leyendas vivientes como Frank Lampard, Gianfranco Zola y John Terry. Y todo teniendo en cuenta su difícil inicio con los seguidores del Chelsea en 2004, ya que durante largo tiempo estuvieron resentidos por sus reparos iniciales a unirse al club. Esto explicaría por qué su camiseta con el número 15 (hasta la marcha de Damien Duff en 2006), y después el 11 (elegida por el centrocampista Oscar en 2012), se vendió menos que la de Lampard o la de Terry, a pesar del hábito del ariete africano de comprarse cientos en la tienda del club para enviarlas a Abidján. Pero no era ningún coleccionista. "Sólo tengo tres camisetas enmarcadas en casa: la de Zidane, la de Ronaldo y la de Ronaldinho", dijo alguna vez. A Drogba le hubiera encantado añadir la de Messi antes de dejar el fútbol europeo, pero después de que éste se la prometiera antes de las semifinales de la Champions League de 2012 (2-2, 24 de abril, primera ronda: 3-2), el argentino salió con prisas tan pronto como sonó el silbatazo final. Probablemente a Drogba le consuele el hecho de que las camisetas con su propia imagen ahora se venden como pan caliente en la tienda del Chelsea. Ya no tiene que comprarlas él mismo.

MUNICH (ALEMANIA), ALLIANZ ARENA
19 DE MAYO DE 2012
Tras marcar el gol del empate del Chelsea y el último penalti en la final contra el Bayern, el delantero de Costa de Marfil Didier Drogba sostiene el primer trofeo de la Champions League para el club londinense.

FINAL 2012
MUNICH
WINNERS 2012
MUNICH FINAL 2012
adidas

Corinthians

Un club de locos

CLUB DE LAS ESTRELLAS (GARRINCHA, RIVELINO, SÓCRATES Y RONALDO, ENTRE OTROS), EL CORINTHIANS OCUPA UN LUGAR ESPECIAL EN EL CORAZÓN Y LA HISTORIA DEL PUEBLO BRASILEÑO.

Cuando unos trabajadores inmigrantes del sur de Europa establecieron el club el 1 de septiembre de 1910, decidieron nombrarlo como el equipo londinense en gira que acababa de ganar seis partidos en suelo brasileño. Y así surgió el Sport Club Corinthians paulista. El mayor club polideportivo en São Paulo es también uno de los más populares. El Corinthians afirma tener 35 millones de seguidores, incluyendo al ex presidente de Brasil Lula (2003-2011) y a los conductores de Fórmula 1 Rubens Barrichello y Ayrton Senna (que murió en 1994). Su manifiesto asegura que serán "el equipo del pueblo, por el pueblo y para el pueblo". Aunque sus seguidores son conocidos como *"O bando de Loucos"* ("la banda de locos"), sus primeros administradores fueron mucho menos extravagantes, eligiendo en un principio un atuendo color crema, que con el tiempo pasaría al blanco. La camiseta negra con finas rayas blancas no hizo su aparición sino hasta 1954. En cuanto al escudo, aunque data de 1913, ha sido modificado desde entonces. El emblema actual se remonta a 1940, cuando se añadieron un ancla y dos remos para reflejar los orígenes acuáticos del Corinthians.

3

GALARDONES GLOBALES
1 Copa Libertadores
2 Copas Mundiales de Clubes de la FIFA

41

GALARDONES NACIONALES
5 Ligas Brasileñas
27 Campeonatos Paulistas
3 Copas de Brasil
1 Supercopa de Brasil
5 Torneios Rio – São Paulo

2012
Camiseta con la que ganó
la Copa Libertadores

1914
Camiseta con la que ganó el primer Campeonato Paulista

1954
Camiseta con la que ganó el Campeonato Paulista

1990
Camiseta con la que ganó la primera Liga Brasileña

2000
Camiseta con la que ganó la primera Copa Mundial de Clubes

Corinthians

Una camiseta **muy democrática**

Ponerse una camiseta del Corinthians a comienzos de los años 80 no era cosa trivial: era una elección política. Ese era el propósito de Sócrates, capitán de Brasil y uno de los fundadores de la iniciativa Democracia Corinthiana en noviembre de 1981. Este movimiento ideológico se inició para desafiar a la dictadura militar y para ofrecer a los jugadores la oportunidad de dirigir el club de forma colectiva. Se distribuían entre los jugadores y los empleados del club beneficios de taquilla y derechos de televisión, simulando ser bonificaciones por victorias. A cambio, ellos decidían sobre el reclutamiento de jugadores y nuevos entrenadores, como ocurrió cuando ofrecieron a Zé Maria, antiguo defensa del Corinthians y ganador del Mundial de 1970, el puesto de director. También salieron al campo antes de la final del Campeonato Estatal de São Paulo de 1983 para desplegar una bandera que decía: "Victoria o derrota, pero siempre en democracia." Esta autogestión, unida a un estilo entretenido de juego, ayudó al club a triunfar tanto dentro como fuera de la cancha. "Luchábamos por la libertad, por un cambio en nuestro país", explicaba Sócrates, que tristemente falleció el 4 de diciembre de 2011 a la edad de 57 años. Reconocido doctor en medicina, con una gran conciencia política y hermano mayor de Raï, que también fue capitán de la *Seleçao*, Sócrates a menudo aparecía en la cancha con la leyenda "Democracia Corinthiana" en su camiseta, o con mensajes en la espalda que animaban a la gente a votar en las elecciones. Esta minirrepública finalizó de forma natural con el surgimiento de la democracia en Brasil en 1985.

Sócrates celebra un gol durante el *Clássico Majestoso* entre el Corinthians y el São Paulo en 1982. El "Doctor" no sólo fue un futbolista dotado, sino un hombre de inquebrantables convicciones políticas.

cofap

Borussia Dortmund

La camiseta de un **hombre trabajador**

DOS ESTRELLAS POR OCHO TÍTULOS

A diferencia de las selecciones nacionales, no existen reglas estandarizadas internacionalmente para las estrellas exhibidas en las camisetas de los clubes, y la práctica varía de un país a otro. Coronado campeón de Alemania por octava vez en 2012, el Borussia Dortmund inmediatamente agregó una segunda estrella sobre su escudo, mientras el Juventus esperó a su vigésimo éxito de liga antes de hacer lo propio. Esto se debe a que en Alemania la regla es utilizar una estrella por cuatro títulos, dos por ocho, tres por diez y cuatro por veinte (como el Bayern de Munich, campeón de la Bundesliga en 23 ocasiones).

LAS RAÍCES DEL BORUSSIA DORTMUND, EL GRANDIOSO RIVAL DEL RUHR DE SCHALKE 04, PUEDEN RASTREARSE AL MUNDO DE LOS OBREROS DEL ACERO Y DE LOS MINEROS, Y SUS COLORES SON UN RECUERDO DE ESA HERENCIA.

El grupo de trabajadores del acero y mineros locales estaba tan emocionado de haber establecido el club el 19 de diciembre de 1909, que olvidó darle un nombre. Muy ocupados en ese punto entrechocando copas rebosantes, decidieron llamarlo «Borussia», nombre de su cerveza favorita (Borussia también significa «Prusia» en latín). Así nació el Ballspielverein («juego de pelota») Borussia 1909 Dortmund. Después de empezar a jugar en azul y blanco, el BVB 09 (como se le rebautizó en 1945) adoptó más tarde el amarillo con negro –amarillo por los overoles usados por sus seguidores obreros, y negro como tributo a sus aficionados mineros–. Estos colores demostraron ser un talismán, pues, antes de convertirse en el tercer club alemán en levantar el trofeo de la Champions League en 1997 (después del Bayern München y el Hamburg), fueron los primeros en asegurarse la platería europea el 5 de mayo de 1966 (Recopa de la UEFA, 2-1 en tiempos extra contra Liverpool). También fueron el primer equipo alemán en cotizar en la bolsa de valores en 2000. Después de rondar la ruina financiera cinco años después, *Die Schwarzgelben* («los negroamarillos») se recuperaron con estilo al lograr una doble victoria, en la Liga y la Copa Alemanas, en 2012.

3

GALARDONES GLOBALES

1 UEFA Champions League
1 Recopa de la UEFA
1 Copa Intercontinental

15

GALARDONES NACIONALES

8 Ligas Alemanas
3 Copas de Alemania
4 Supercopas de Alemania

2012
Camiseta con la que ganó la Liga Alemana y la Copa de Alemania

1909
Primera camiseta

1966
Camiseta con la que ganó la Recopa

1997
Camiseta con la que ganó la Champions League

2013
Camiseta de local

BVB
SUPPS
BOCHOLT
BVB 09
THE UNITY
AMHUS
DAMHUS
www.damhus.de
EVONI
INDUS

12
NELSON
VALDEZ
SUPPORTERS

Borussia Dortmund

El muro amarillo

Los aficionados, así como los jugadores, sangran por la camiseta en la «Catedral», como se conoce popularmente en Alemania al estadio de Dortmund, famoso por su atmósfera única. Es el coso más grande del país y su nombre cambió a Signal Iduna Park (después de que los derechos del nombre se vendieran a una compañía de seguros) en diciembre de 2005. Mutilado por deudas del tenor de 118 millones de euros en esa época, Borussia se vio forzado a vender el 75% de su estadio, rentándolo por 17 millones de euros al año para poder continuar jugando en él. Construido para la única Copa Mundial llevada a cabo en Alemania Occidental e inaugurado el 2 de abril de 1974, originalmente ostentaba una capacidad de 54,000 personas. Renovado numerosas veces, entre ellas para el Mundial de 2006, tiene una terraza con espacio para 27,359 espectadores de pie, 24,454 de los cuales se alojan en la Südtribüne. Con 100 metros de ancho, 52 metros de profundidad y 40 metros de altura, constituye la tribuna de pie más grande de Europa y es del doble del tamaño del graderío del Anfield en Liverpool. Lo que los alemanes han dado en denominar *Die Gelve Wand* («El muro amarillo») ha convertido al Westfalenstadion, como aún se le conoce entre los aficionados del Borussia, en uno de los estadios más feroces y coloridos del mundo.

Durante la temporada 2003-2004, BVB 09 registró la asistencia más alta de Europa, con un promedio de 79,647 seguidores en cada partido de la Liga. En 2011-2012, sólo el Barça atrajo más personas a sus puertas.

MUNICH (ALEMANIA), OLYMPIASTADION
28 DE MAYO DE 1997
Andreas Möller levanta el trofeo de la Champions League.

"El muro amarillo debe habernos ayudado a ganar 20 veces durante la temporada 2011-2012, en casa al igual que como visitantes. Para un oponente, toparse con el fondo es una experiencia inolvidable."

Jürgen Klopp, técnico del Borussia Dortmund

BVB
09

El club de 200,000 miembros

COTIZANDO EN LA BOLSA DE VALORES DESDE EL 22 DE MAYO DE 2007 (CON 15 MILLONES DE ACCIONES) EL BENFICA, UNO DE LOS DOS GIGANTESCOS CLUBES DE LISBOA, JUNTO CON EL SPORTING, OSTENTA UN NIVEL DE APOYO POPULAR EN PORTUGAL AL QUE SÓLO SE ACERCA EL PORTO.

El 28 de febrero de 1904, 24 estudiantes formaron un club polideportivo en la farmacia Franco de la Rua de Belém, en el suroeste de Lisboa. Lo llamaron «Benfica» por uno de los barrios de la ciudad, y decidieron que el equipo llevaría los colores rojo y blanco. Su lema –«E Pluribus Unum» («De muchos, uno», en latín)– fue inscrito en la insignia, que tenía la forma de una rueda de bicicleta (el ciclismo era otro deporte practicado en el club Benfica) rodeando un escudo rojo y blanco. El mismo lema aparece en el sello de los Estados Unidos. Más de un siglo después, el 29 de septiembre de 2009, el Sport Lisboa e Benfica registró a su socio activo número 200,000 en el mundo. Entretanto, después de haber abandonado en la década de 1970 su política de contratar sólo jugadores portugueses, colocó tres estrellas sobre el escudo del club, para representar el 30º título de la Liga Portuguesa, obtenido en 1994. Ganó su primer campeonato en 1936, y ahora tiene alrededor de setenta trofeos en su vitrina.

2

GALARDONES GLOBALES
2 UEFA Champions Leagues

64

GALARDONES NACIONALES
32 Ligas Portuguesas
24 Copas de Portugal
4 Copas de Liga de Portugal
4 Supercopas de Portugal

2010
Camiseta con la que ganó
la Liga Portuguesa

1904
Primera camiseta

1936
Camiseta con la que ganó su primera Liga Portuguesa

1962
Camiseta de visitante

1973
Camiseta con la que ganó la Liga Portuguesa

Benfica

Donde las águilas **se atreven**

El mundo animal a menudo ha inspirado a los fundadores de clubes cuando consideran posibles emblemas. Como método básico de comunicación, se supone que la bestia elegida -frecuentemente voraz, carnívora o salvaje- encarna los valores del club. Benfica escogió un águila ibérica, que simboliza autoridad, independencia y nobleza. De hecho, un águila llamada Vitória («Victoria») es liberada sobre el Estádio da Luz antes de cada partido en casa, y está representada con las alas bien abiertas sobre el emblema del club. El Benfica no es el único que utiliza el águila de esta manera. El equipo italiano Lazio hace lo mismo previamente a sus partidos en el Stadio Olimpico de Roma, mientras que la insignia de Palermo exhibe el águila blanca y dorada del escudo de armas de la ciudad. En Grecia, el ave tiene una gran demanda. Emblema del Patriarcado Ecuménico de Constantinopla, figura en los escudos del AEK de Atenas, PAOK de Salónica y Doxa Drama. En Turquía, el águila del Besikta es negra, como el negro de la camiseta del club. Lo mismo se aplica al Nice de Francia, el Pirin Blagoevgrad de Bulgaria y el Spartak Nalchik de Rusia, pero no a sus compatriotas del Sibir Novosibirsk, quienes prefieren un águila azul, al igual que el Crystal Palace (Inglaterra). El águila del Eintracht Frankfurt es roja, mientras que en Costa de Marfil (Africa Sports National), Hungría (Ferencvaros) y Marruecos (Raja Casablanca), el ave es verde. El Club América de México ostenta un águila dorada, y el Manchester City tiene una que expone la lengua. Las selecciones nacionales tampoco sienten aversión a utilizar la gran ave de presa como símbolo. Mali («Las Águilas») y Túnez («Las Águilas de Cartago») son sólo dos ejemplos. Lo que todas las camisetas tienen en común es que sus seguidores no simpatizan con ningún intento de eliminar la poderosa imagen. Cuando el fabricante del uniforme de Polonia reemplazó su águila con una variante menos visible del emblema nacional, las protestas de los aficionados lo obligaron a colocarla nuevamente en el lugar debido antes de la EURO 2012, la competición continental de la que Polonia fue coanfitrión con Ucrania.

«Águia Vitória», el águila que vuela sobre los graderíos antes de cada partido que se lleva a cabo en el Estádio da Luz, ha aparecido en el emblema del Benfica durante más de cien años.

E PLURIBUS UNUM
S.L.B.

Arsenal

El cañón constante

FUNDADO EL 1 DE MAYO DE 1886 POR LOS TRABAJADORES ESCOCESES DE LA FÁBRICA DE ARMAS ROYAL ARSENAL EN EL ESTE DE LONDRES, EL CLUB HA CAMBIADO DE NOMBRE Y DE COLORES EN NUMEROSAS OCASIONES.

El nombre inicial del Arsenal fue Dial Square FC (en referencia al reloj de sol de la entrada de la fábrica). Más tarde, el club llevó los nombres de Royal Arsenal y Woolwich Arsenal. Relegado y al borde de la bancarrota, fue comprado en 1910 y en poco tiempo se mudó al Arsenal Stadium de Highbury, en el norte de Londres, en 1913, después de lo cual su nombre cambió a Arsenal FC. Como fue el primer club londinense que ganó el ascenso a la Primera División en 1904, los funcionarios del club no lograron encontrar camisetas apropiadas en el área de Londres. Así que llamaron a Nottingham Forest, que les envió un suministro de camisetas de color rojo oscuro, el color favorito de Forest en esa época. De hecho, el Arsenal volvió a sus colores originales durante la temporada 2005-2006, para marcar su campaña final en Highbury (2005-2006). A lo largo de esos 100 años, el rojo oscuro se aclaró significativamente, y fue imitado por el uniforme portugués de Braga. Entre todos los cambios, una cosa –el cañón– se mantuvo constante... bueno, casi. Incluso eso desapareció por un tiempo entre 1930 y 1949, regresó rápidamente y después se volvió a dirigir hacia el este en 2002. También fue en este punto cuando el lema en latín del club, *Victoria Concordia Crescit* («La victoria llega mediante la armonía») fue retirado del escudo.

2

GALARDONES GLOBALES

1 Liga Europea de la UEFA
1 Recopa de la UEFA

37

GALARDONES NACIONALES

13 Ligas Inglesas
10 Copas de Inglaterra
2 Copas de Liga de Inglaterra
12 Supercopas de Inglaterra

2004
Camiseta con la que ganó la Liga Inglesa

1906
Primera camiseta

1933
Camiseta con la que ganó la Liga Inglesa

1994
Camiseta con la que ganó el primer trofeo europeo

2013
Camiseta de local

Henry,
el 12° hombre del Arsenal

Y de pronto, como por arte de magia, la estatua erigida en honor de Thierry Henry el 10 de diciembre de 2011 en el Emirates Stadium cobró vida. El delantero francés bajó de su pedestal para ir al terreno de juego y anotar una vez más para el Arsenal. Los sueños más anhelados de los seguidores se habían hecho realidad durante una increíble tarde de la FA Cup contra Leeds (1-0, el 9 de enero de 2012). El giro de los acontecimientos costó a los corredores de apuestas británicos, que no quedaron convencidos con el retorno, la elevada suma de 1.2 millones de euros. «Titi es una leyenda aquí. Dejó un sello inolvidable en la historia del club. Su gol sólo sirve para enaltecer aún más su reputación», dijo fascinado Arsène Wenger en esa época. Cuando su anterior protegido (1999-2007) volvió al Arsenal para mantenerse en forma durante la pretemporada de la MLS, el experimentado entrenador le ofreció un contrato de seis semanas. «Para mí era difícil negarme», explicó el delantero de los Red Bulls de Nueva York, elegido en 2008 como el más grandioso jugador del Arsenal de todos los tiempos y el mejor jugador extranjero que haya participado en la Premier League. Henry llevó la camiseta número 14 en su primera etapa con el Arsenal, pero esta vez pertenecía a Theo Walcott. Escogió el 12, número que llevaba a la espalda cuando levantó la Copa Mundial de 1998 y triunfó en el Campeonato Europeo de 2000. Con este número, el jugador de 35 años anotó contra Blackburn (7-1) y Sunderland (1-2). Terminó su corta etapa apareciendo en un séptimo partido, uno de la Champions League que perdieron 4-0 en Milán el 16 de febrero. Y entonces, el líder anotador (228 goles) del Arsenal siguió su camino.
La estatua, por otro lado, quedará allí para siempre.

Desde el 10 de diciembre de 2011, una estatua de Thierry Henry se yergue fuera del Emirates Stadium. Representa al francés haciendo su tradicional celebración de gol.

Con 228 goles en su haber, Thierry Henry es el mayor anotador de todos los tiempos de los *Gunners*.

Olympique de Marseille

Directo a gol

SIGUIENDO AL PIE DE LA LETRA EL LEMA INSCRITO EN EL ESCUDO DE SU CLUB, EL MARSEILLE ELEVÓ EL PERFIL DE SU CAMISETA JUGANDO CON UN ESTILO EFECTIVO QUE TOMÓ POR ASALTO A FRANCIA Y EUROPA.

Los detalles de la fundación del Olympique de Marseille son tan turbios como un tazón de la sopa de pescado bouillabaise que tuvo su origen en la misma ciudad francesa. Algunos creen que el club se fundó en agosto de 1899 mediante la fusión del club de esgrima «L'Epée» y el «Football Club de Marseille», de los que se dice que legaron el famoso lema «Droit au but» («Directo al objetivo»), que fue retirado del emblema entre 1935 y 1986. Para otros, el OM, reconocido legalmente de manera oficial el 12 de diciembre de 1900, se formó en 1892. El club ha optado por la primera fecha. El color blanco se adoptó desde el principio como un reconocimiento a la pureza del ideal olímpico ensalzado por Pierre de Coubertin –todos los atletas de las primeras Olimpiadas modernas, llevadas a cabo en Atenas en 1896, iban vestidos de blanco–. Pero desde 1997 y con el regreso de Adidas como proveedor de uniformes (un papel que la compañía desempeñó entre 1974 y 1994, antes de ser desbancada durante dos temporadas), el Marseille constantemente ha cambiado tanto sus colores de visitante como en la alternativa. A pesar de las consideraciones de marketing, la camiseta de local conservó su color original blanco. También ostenta una estrella dorada sobre el escudo, agregada en 1993 para marcar la histórica victoria del Marseille en la Champions League. A la fecha, siguen siendo el único equipo francés que ha ganado el principal torneo de clubes de Europa.

1

GALARDÓN GLOBAL
1 UEFA Champions League

24

GALARDONES NACIONALES
9 Ligas Francesas
10 Copas de Francia
3 Copas de Liga de Francia
2 Supercopas de Francia

1993
Camiseta con la que
ganó la Champions League

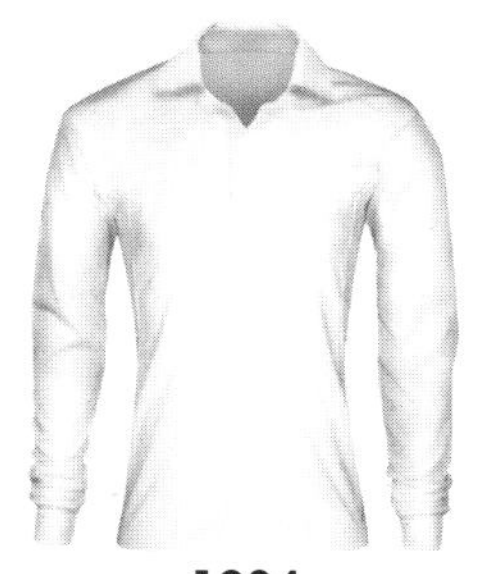

1924
Camiseta con la que ganó la primera Copa de Francia

1998
Camiseta del Centenario

2004
Camiseta de subcampeón de la Copa de la UEFA

2010
Camiseta de visitante con la que ganó la Liga Francesa

Olympique de Marseille

La veta benevolente de **Papin**

Un amigo de Jean-Pierre Papin que vivía en Bordeaux rompió a llorar el día que el delantero francés le regaló una caja llena de camisetas. «Tenía como unas 60, incluyendo algunas de la antigua URSS y de Yugoslavia», recuerda el Futbolista Europeo del Año 1991. «Sabía que él coleccionaba camisetas de fútbol y preferí verlas enmarcadas en su pared y no comidas por la polilla», continuó. Papin demostró el mismo tipo de generosidad a lo largo de su carrera. «El meollo de una camiseta es que dé placer a la gente. Los jugadores deberían entregar diez cada día a los seguidores que no tienen dinero para comprar una. Eso es lo que hice, hasta tal punto, que las personas –a quienes a menudo no recuerdo haberles dado nada– siguen acercándose a mí para mostrármelas», dice el antiguo seleccionado de Francia. Fue el mayor goleador de la Liga Francesa en cinco ocasiones (1988-1992), y sí conservó una camiseta, la que llevaba cuando se despidió de los aficionados del Marseille en el Stade Vélodrome el 25 de abril de 1992, en un partido donde el equipo local, Cannes, fue derrotado 2-0. «Es simbólica. De hecho, he conservado una camiseta de seis de los clubes para los que jugué: Valenciennes, Bruges, Marseille, Milan, Bayern München y Bordeaux. Por falta de espacio no tengo una de mi último club, el Guingamp (1998), porque hice que Laurent Pardo, un diseñador francés, las transformara en sillas. Se utilizaron las camisetas para tapizar las sillas, que he colocado alrededor de la mesa de póker de mi casa en Arcachon. La única cosa que colecciono son pelotas. Tengo algunas de cristal, madera, piel y, por supuesto, una de oro: mi Ballon d'Or de Futbolista Europeo del Año. ¡Esa está en la mesa de la sala, porque quería verla todos los días!», concluye con una sonrisa.

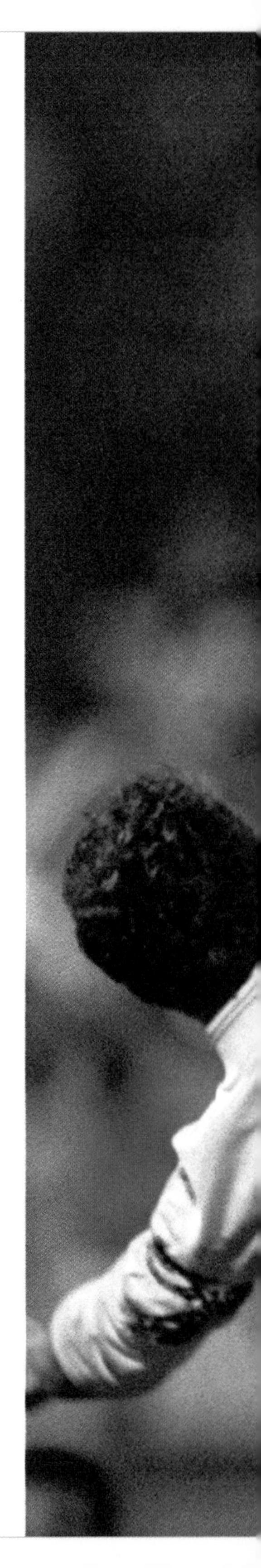

Las volteretas acrobáticas de Jean-Pierre Papin originaron un nuevo término futbolístico francés: «Papinade».

onic

Paris Saint-Germain

Los nuevos ricos

LOS PARISIENSES SOÑABAN CON UN GRAN CLUB DE LA CIUDAD DE LAS LUCES. LOS QATARÍES HAN ESTADO CONSTRUYENDO UNO DESDE 2011, CUANDO ADQUIRIERON EL PARIS SAINT-GERMAIN.

Logotipo de 1970 a 1972

Logotipo de 1992 a 1996

Logotipo de 2002 a 2013

Antes de que el PSG fuera rico, era joven. El conjunto de la capital había existido sólo desde el 12 de agosto de 1970, a consecuencia de una fusión entre el Stade Saint-Germain y el Paris FC, aunque el club considera el 27 de agosto de 1970 como la fecha oficial de su formación, a pesar de que previamente se jugaron algunos partidos. El PSG adoptó el azul y el rojo de la ciudad de París, combinándolos con el blanco de Saint-Germain. Después de recaudar una sólida cantidad de metales en un tiempo relativamente corto, el segundo club francés –después del Marseille– en ganar un trofeo europeo (la Recopa Europea, el 8 de mayo de 1996, 1-0 contra el Rapid de Viena), pasó al carril de alta velocidad el 30 de mayo de 2011. Cinco años después de un primer intento, la Qatar Sport Investment Authority (QSI), un fondo de inversión soberano gestionado por el sheik Tamin ben Hamad Al Thani, príncipe de la corona de Qatar, volvió para comprar una participación mayoritaria del 70% del club parisiense. El 6 de marzo de 2012, QSI adquirió el 30% restante, convirtiéndose en el único accionista. Desde entonces, así como los petrodólares transformaron al Manchester City a partir de 2008, enormes cantidades de dinero qatarí han comenzado a fluir hacia París.

1

GALARDÓN GLOBAL
1 Recopa de la UEFA

16

GALARDONES NACIONALES
3 Ligas Francesas
8 Copas de Francia
3 Copas de Liga de Francia
2 Supercopas de Francia

2013
Camiseta con la que ganó la Liga Francesa

1975
Camiseta de visitante utilizada en el ascenso del club a la primera división

1986
Camiseta con la que ganó la Liga Francesa

1994
Camiseta con la que ganó la Liga Francesa

1996
Camiseta con la que ganó la Recopa

Paris Saint-Germain

Ibra, Becks y el juego de los números

Zlatan Ibrahimovic posó para fotos de prensa el 18 de julio de 2012, al pie de la Torre Eiffel, con una camiseta que tenía –algo bastante revelador– sólo su nombre. «Todavía no se ha decidido nada en cuanto a mi número», respondió incómodo cuando se le preguntó al respecto aquel día. «Pero estoy seguro de que el personal sabe lo que me haría feliz...», agregó. Lo sabían, e Ibrahimovic por fin conseguiría llevar el número 10 a nivel de club. A dondequiera que iba, ya estaba ocupado: en Malmö, por Rafael van der Vaart en el Ajax, por Alessandro Del Piero en Juventus, por Adriano en el Inter de Milán, por Lionel Messi en Barcelona y por Clarence Seedorf en el AC Milan. Desafortunadamente, el 10 había sido propiedad de Néné durante dos años. Y en cuanto al 9 que anteriormente llevó en Malmö, Ajax, Juventus y Barcelona, pertenecía a Guillaume Hoarau. «Se lo entregaré si me lo pide en francés», prometió el larguirucho delantero. Aunque el estatus políglota de Ibrahimovic nunca estuvo en duda, no lo complació. En cambio, redujo sus expectativas al número 18. Pero no había olvidado su deseo original. En cuanto Nené salió a la Liga Qatarí, dejó el 18 para usar el 10, a pesar de haber anotado 18 goles en la Ligue 1 mientras llevaba el número anterior. Pero esto sólo se permitiría en partidos nacionales, porque la UEFA prohíbe que un jugador cambie de número a mitad de la temporada. De modo que el sueco terminó la temporada 2012-2013 usando el 10 en la Ligue 1 y el 18 en la Champions League. El mismo dolor de cabeza apareció cuando David Beckham firmó con el PSG el 31 de enero de 2013. El «Spice Boy» construyó su leyenda en el Manchester United desempeñándose muy bien con la camiseta 7 utilizada por George Best y Eric Cantona, y también se las arregló para adquirir ese número durante su primer préstamo al AC Milan. Pero en París, Jérémy Ménez le ganó. En cuanto al 23, su favorito en el Real Madrid y Los Angeles Galaxy, había sido asignado a Gregory Van Der Wiel. «Becks» decidió realizar el mismo truco intentado en su segunda etapa en el Milan. Al invertir el 2 y el 3, podría usar el 32, evitando así otra innecesaria guerra de números.

Con un salario anual de 14 millones de euros (aparte de impuestos), Zlatan Ibrahimovic es, con mucho, el futbolista mejor pagado de Francia. Esa cantidad está muy lejana de los 31,800 euros (antes de impuestos) pagados a su compañero de equipo en el PSG, David Beckham (excluyendo las sumas colosales que recibe por derechos de imagen y patrocinios). El resto del salario de Beckham se dona a beneficencias locales.

BBVA Francés
11
R.MOR

España
Alemania
Italia
Inglaterra
Francia
Holanda
Dinamarca
Suecia
Portugal
Rusia
Bélgica
Grecia
Suiza
Ucrania
Croacia

la vuelta al mundo en 850 camisetas

Noruega
Brasil
México
Estados Unidos
Argentina
Colombia
Uruguay
Chile
Ecuador
Costa de Marfil
Sudáfrica
Marruecos
...

La vuelta al mundo en 850 camisetas

En los inicios del Bello Juego, la prenda superior de los jugadores no era lo que es en la actualidad. Eran sólo pedazos de tela de lana que distinguían a un equipo de otro, una mera herramienta, como los botines con tacos y los pantaloncillos largos. Los únicos objetos que representaban directamente a un club en aquel tiempo eran cosas vagamente novedosas y souvenirs.

Los historiadores del fútbol han rastreado el surgimiento del primer fabricante de uniformes a 1879, antes del advenimiento del juego profesional. El fabricante en cuestión, Bukta, mudó sus instalaciones a Manchester, en el norte de Inglaterra, en 1885, cuando las camisas de algodón más ligeras comenzaron a reemplazar a las de lana, pesadas e inadecuadas.

A los ingleses les llevó algún tiempo comprender los beneficios comerciales que podrían obtener vendiendo camisetas. Poco a poco se fueron convirtiendo en una manera en que los aficionados se identificaban con un club. La utilización de tal camiseta frente a otra era un acto de militancia, un valiente compromiso, especialmente en un pueblo o ciudad con varios clubes. También permitía al aficionado adoptar otra personalidad, olvidar su monótona rutina y ser, en un sentido bastante real, parte de un club.

Las camisetas, fuente de innumerables fantasías, finalmente conquistaron a los proveedores en 1977, año en que el fútbol supuestamente entró en su era moderna. Desde entonces se han transformado en productos insignia para las marcas y en lucrativos subproductos de los clubes. Los fabricantes constantemente les hacen mejoras en nombre de la comercialización. Las vuelven siempre más atractivas, más abundantes y más caras, y son codiciadas en todo el mundo. Ya sean los objetos de colección para los aficionados o productos comerciales para minoristas amateurs en internet, las camisetas se han convertido en el ganso de oro de los apasionados fanáticos del fútbol... y de los hombres de negocios dispuestos a hacer dinero proporcionándoselas.

Hoy en día, la camiseta a veces es más importante que su dueño. Ya no es raro que un club compre a un jugador por la cantidad de réplicas de su camiseta que probablemente venderá. Esta pieza de equipamiento se ha transformado en un accesorio de moda; la camiseta de fútbol se ha trivializado, convertida en un vulgar producto de consumo.

Pero afortunadamente conserva algo de su magia. Los aficionados cuidan la camiseta, defendiéndola como guardianes de un templo del fútbol. Ahorran su dinero, esperando febrilmente que aparezca la nueva versión, y se levantan en armas ante los menores cambios, que invariablemente son considerados una afrenta a los colores y el emblema originales. Las camisetas de fútbol dicen mucho acerca de nuestra cultura... por eso son tan fascinantes y difieren tanto de un rincón del planeta a otro. Y también por eso, este tema merece una visión que abarque todo el mundo. Bon voyage, ¡y no olvides tu camiseta!

las más vendidas

clubes que han vendido más camisetas

(ventas promedio por temporada de 2007 a 2012, fuente: Dr. Peter Rohlmann, 8 de octubre de 2012)

MANCHESTER UNITED
1.4 MILLONES

REAL MADRID
1.4 MILLONES

FC BARCELONA
1.15 MILLONES

CHELSEA
910.000

BAYERN MÜNCHEN
880.000

LIVERPOOL
810.000

ARSENAL
800.000

JUVENTUS
480.000

INTER MILAN
425.000

AC MILAN
350.000

OLYMPIQUE DE MARSEILLE
350.000

BORUSSIA DORTMUND
200.000/300.000

MANCHESTER CITY
200.000/300.000

PARIS SAINT-GERMAIN
200.000/300.000

BENFICA
200.000/300.000

las más caras

clubes con los mayores contratos de patrocinio

(durante la temporada 2013-2014, fuente: *Huffington Post*, 5 de marzo de 2013)

FC BARCELONA
QATAR AIRWAYS - 57M€

BAYERN MÜNCHEN
DEUTSCHE TELEKOM - 30M€

PARIS SAINT-GERMAIN
FLY EMIRATES - 25M€

LIVERPOOL
STANDARD CHARTERED - 24M€

MANCHESTER CITY
ETIHAD - 24M€

MANCHESTER UNITED
AON - 24M€

las mejor pagadas

clubes que ofrecen los mejores salarios

(durante la temporada 2012-2013, fuente: *Francia Football*, 19 de marzo de 2013)

ANZHI MAKHACHKALA

SAMUEL ETO'O - 20M€

PARIS SAINT-GERMAIN

ZLATAN IBRAHIMOVIC -15M€

MANCHESTER UNITED

WAYNE ROONEY - 13.1M€

MANCHESTER CITY

CARLOS TEVEZ - 13.1M€

REAL MADRID

CRISTIANO RONALDO - 13 M€

FC BARCELONA

LIONEL MESSI - 12.5M€

las más salvajes

cuando los diseñadores se dejan llevar

COLORADO CARIBOUS (USA)
1978

AJAX (HOLANDA)
1990 - VISITANTE

AUSTRALIA
(SELECCIÓN NACIONAL)
1991

MANCHESTER UNITED
(INGLATERRA)
1991 - VISITANTE

ARSENAL (INGLATERRA)
1992 - VISITANTE

QUEENS PARK RANGERS
(INGLATERRA)
1992 - PORTERO

READING (INGLATERRA)
1992 - VISITANTE

ATALANTA (ITALIA)
1994 - VISITANTE

BRISTOL ROVERS (INGLATERRA)
1994 - VISITANTE

DERBY COUNTY (INGLATERRA)
1994 - VISITANTE

EINTRACHT FRANKFURT (ALEMANIA)
1994

HULL CITY (INGLATERRA)
1994

MADUREIRA (BRASIL)
1994

SHAMROCK ROVERS (REPÚBLICA DE IRLANDA)
1994 - VISITANTE

CHELSEA (INGLATERRA)
1995 - VISITANTE

NOTTS COUNTY (INGLATERRA)
1995 - VISITANTE

SCUNTHORPE UNITED (INGLATERRA)
1995 - VISITANTE

CROACIA (SELECCIÓN NACIONAL)
1996 - PORTERO

INGLATERRA (SELECCIÓN NACIONAL)
1996 - PORTERO

FC BARCELONA (ESPAÑA)
1997 - VISITANTE

JAMAICA (SELECCIÓN NACIONAL)
1997

MANCHESTER UNITED (INGLATERRA)
1998 - PORTERO

MÉXICO (SELECCIÓN NACIONAL)
1998

BOCHUM (ALEMANIA)
1998

MÉXICO (SELECCIÓN NACIONAL)
1999 - PORTERO

JAGUARES DE CHIAPAS (MÉXICO)
2003

ATHLETIC BILBAO (ESPAÑA)
2004

SAINT-ÉTIENNE (FRANCIA)
2005 - PORTERO

OLYMPIQUE DE MARSEILLE (FRANCIA)
2008 - VISITANTE

OLYMPIQUE LYONNAIS (FRANCIA)
2011 - VISITANTE

EVERTON (INGLATERRA)
2012 - PORTERO

CHARLEROI (BÉLGICA)
2013

RECREATIVO DE HUELVA (ESPAÑA)
2013 - VISITANTE

muy especiales

camisetas de ediciones especiales y conmemorativas

JUVENTUS (ITALIA)
1997 - CENTENARIO

OLYMPIQUE DE MARSEILLE (FRANCIA)
1998 - CENTENARIO

FC BARCELONA (ESPAÑA)
1999 - CENTENARIO

ARSENAL (INGLATERRA)
2006 - HIGHBURY 1913-2006

INTER MILAN (ITALIA)
2008 - CENTENARIO

CORINTHIANS (BRASIL)
2010 - CENTENARIO

LAZIO (ITALIA)
2010 - 110 AÑOS - ALTERNATIVA

PARIS SAINT-GERMAIN (FRANCIA)
2011 - 40 AÑOS

FLUMINENSE (BRASIL)
2012 - 110 AÑOS

SANTOS (BRASIL)
2012 - CENTENARIO - ALTERNATIVA

CELTIC (SCOTLAND)
2013 - 125 AÑOS - ALTERNATIVA

GENOA (ITALIA)
2013 - CENTENARIO - VISITANTE

RACING SANTANDER (ESPAÑA)
2013 - CENTENARIO

ESTADOS UNIDOS (SELECCIÓN NACIONAL)
2013 - CENTENARIO

PSV EINDHOVEN (HOLANDA)
2014 - CENTENARIO - VISITANTE

de época

camisetas de los viejos tiempos

JUVENTUS (ITALIA)
1897

FC BARCELONA (ESPAÑA)
1903

CHELSEA (INGLATERRA)
1905

BOCA JUNIORS (ARGENTINA)
1907

BOCA JUNIORS (ARGENTINA)
1908

BORUSSIA DORTMUND (ALEMANIA)
1909

SANTOS (BRASIL)
1912

FLUMINENSE (BRASIL)
1940

MONTERREY (MÉXICO)
1945

VÉLEZ SÁRSFIELD (ARGENTINA)
1945

SOUTH AFRICA (SELECCIÓN NACIONAL)
1947

JAMAICA (SELECCIÓN NACIONAL)
1948

ESPAÑA (SELECCIÓN NACIONAL)
1950

ESTADOS UNIDOS (SELECCIÓN NACIONAL)
1950

DUKLA PRAGUE (REPÚBLICA CHECA)
1960

AS MONACO (FRANCIA)
1961

CUBA (SELECCIÓN NACIONAL)
1962

AS ROMA (ITALIA)
1966

USSR (SELECCIÓN NACIONAL)
1966

CONGO (SELECCIÓN NACIONAL)
1968

PARMA (ITALIA)
1969

PALERMO (ITALIA)
1970 - VISITANTE

ALBANIA (SELECCIÓN NACIONAL)
1973

EAST ALEMANIA (SELECCIÓN NACIONAL)
1974

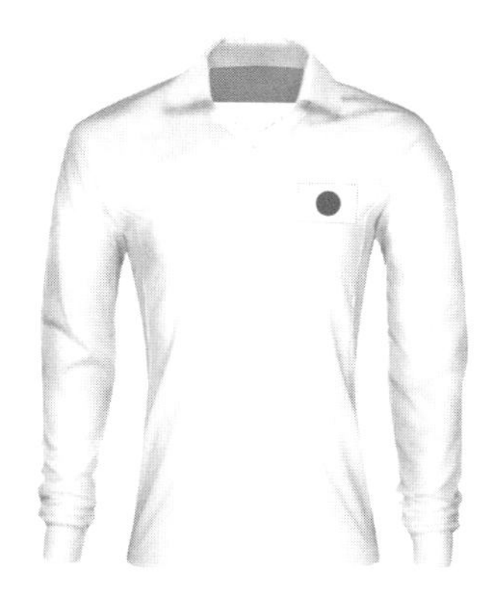

JAPÓN(SELECCIÓN NACIONAL)
1974

HOLANDA (SELECCIÓN NACIONAL)
1974

SAINT-ÉTIENNE (FRANCIA)
1976

LOS ANGELES AZTECS (ESTADOS UNIDOS)
1976

NORTHERN IRELAND (SELECCIÓN NACIONAL)
1977

BASTIA (FRANCIA)
1978

CHEMNITZER FC (ALEMANIA)
1978

GUATEMALA (SELECCIÓN NACIONAL)
1978

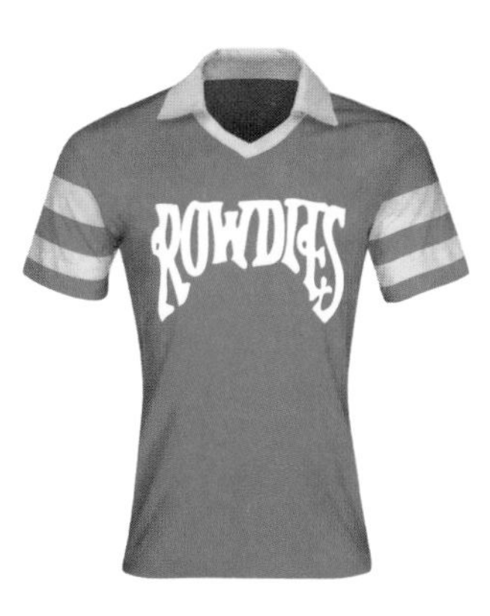

TAMPA BAY ROWDIES (ESTADOS UNIDOS)
1978

FORT LAUDERDALE STRIKERS (ESTADOS UNIDOS)
1979

NEW ENGLAND TEA MEN (ESTADOS UNIDOS)
1979

CALIFORNIA SURF (ESTADOS UNIDOS)
1980 - VISITANTE

GHANA (SELECCIÓN NACIONAL)
1980

MALI (SELECCIÓN NACIONAL)
1980

MOZAMBIQUE (SELECCIÓN NACIONAL)
1980

SURINAM (SELECCIÓN NACIONAL)
1980

MONTREAL MANIC (CANADA)
1981

MÉXICO (SELECCIÓN NACIONAL)
1982 - VISITANTE

De **A**lbania a **Z**ambia, **un viaje alrededor del planeta del fútbol**

España

SELECCIÓN NACIONAL
2013 - ADIDAS

SELECCIÓN NACIONAL
2013 - VISITANTE - ADIDAS

ATHLETIC BILBAO
2014 - NIKE

ATLÉTICO MADRID
2014 - NIKE

ATLÉTICO MADRID
2014 - VISITANTE - NIKE

CELTA DE VIGO
2014 - VISITANTE - ADIDAS

ELCHE
2013 - ACERBIS

FC BARCELONA
2014 - NIKE

FC BARCELONA
2014 - VISITANTE - NIKE

GETAFE
2014 - JOMA

GRANADA
2013 - LUANVI

LEVANTE
2013 - KELME

MÁLAGA
2013 - NIKE

MÁLAGA
2013 - VISITANTE - NIKE

MÁLAGA
2013 - ALTERNATIVA - NIKE

OSASUNA
2014 - ADIDAS

RAYO VALLECANO
2014 - ERREA

RAYO VALLECANO
2013 - VISITANTE - ERREA

RCD DE LA CORUÑA
2014 - LOTTO

RCD ESPANYOL
2014 - PUMA

RCD ESPANYOL
2013 - VISITANTE - PUMA

REAL BETIS
2013 - MACRON

REAL BETIS
2013 - ALTERNATIVA - MACRON

REAL MADRID
2014 - ADIDAS

REAL MADRID
2013 - ALTERNATIVA - ADIDAS

REAL SOCIEDAD
2013 - NIKE

REAL SOCIEDAD
2013 - VISITANTE - NIKE

REAL VALLADOLID
2013 - VISITANTE - KAPPA

SEVILLA
2014 - WARRIOR

SEVILLA
2014 - VISITANTE - WARRIOR

VALENCIA
2014 - JOMA

VALENCIA
2014 - VISITANTE - JOMA

VILLARREAL
2013 - XTEP

Alemania

SELECCIÓN NACIONAL
2013 - ADIDAS

SELECCIÓN NACIONAL
2013 - VISITANTE - ADIDAS

BAYER LEVERKUSEN
2014 - ADIDAS

BAYER LEVERKUSEN
2013 - VISITANTE - ADIDAS

BAYERN MÜNCHEN
2014 - ADIDAS

BAYERN MÜNCHEN
2013 - ALTERNATIVA - ADIDAS

BORUSSIA DORTMUND
2013 - PUMA

BORUSSIA MÖNCHENGLADBACH
2014 - KAPPA

BORUSSIA MÖNCHENGLADBACH
2014 - ALTERNATIVA - KAPPA

EINTRACHT BRAUNSCHWEIG
2014 - NIKE

EINTRACHT BRAUNSCHWEIG
2014 - VISITANTE - NIKE

EINTRACHT FRANKFURT
2014 - JAKO

EINTRACHT FRANKFURT
2014 - VISITANTE - JAKO

FC AUGSBURG
2014 - JAKO

FC AUGSBURG
2014 - VISITANTE - JAKO

FC AUGSBURG
2014 - ALTERNATIVA - JAKO

FC NÜRNBERG
2014 - ADIDAS

FSV MAINZ 05
2014 - NIKE

FSV MAINZ 05
2014 - VISITANTE - NIKE

HAMBURGER SV
2014 - ADIDAS

HANNOVER 96
2014 - JAKO

HANNOVER 96
2014 - VISITANTE - JAKO

HERTA BSC
2014 - NIKE

HERTA BSC
2014 - VISITANTE - NIKE

HOFFENHEIM
2014 - PUMA

SC FREIBURG
2014 - NIKE

SCHALKE 04
2014 - VISITANTE - ADIDAS

VFB STUTTGART
2014 - PUMA

VFB STUTTGART
2014 - VISITANTE - PUMA

VFL WOLFSBURG
2014 - ADIDAS

WERDER BREMEN
2014 - NIKE

WERDER BREMEN
2014 - VISITANTE - NIKE

WERDER BREMEN
2014 - ALTERNATIVA - NIKE

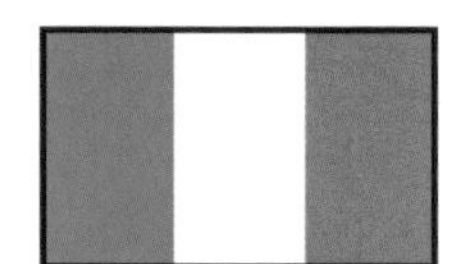

Italia

SELECCIÓN NACIONAL
2013 - PUMA

SELECCIÓN NACIONAL
2013 - VISITANTE - PUMA

AC MILAN
2013 - ADIDAS

AC MILAN
2014 - ALTERNATIVA - ADIDAS

AS ROMA
2013 - KAPPA

AS ROMA
2013 - VISITANTE - KAPPA

ATALANTA
2014 - ERREA

ATALANTA
2014 - VISITANTE - ERREA

BOLOGNA
2013 - MACRON

CAGLIARI
2013 - KAPPA

CATANIA
2014 - GIVOVA

CHIEVO
2013 - GIVOVA

FIORENTINA
2013 - JOMA

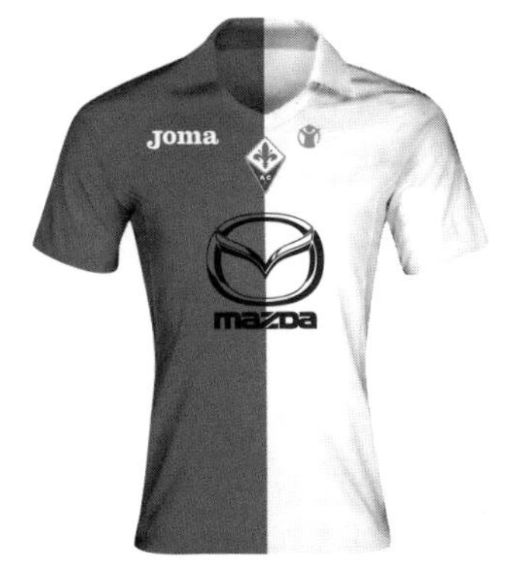

FIORENTINA
2013 - ALTERNATIVA - JOMA

GENOA
2013 - LOTTO

INTER MILAN
2013 - NIKE

INTER MILAN
2013 - VISITANTE - NIKE

JUVENTUS
2014 - NIKE

JUVENTUS
2013 - VISITANTE - NIKE

JUVENTUS
2013 - ALTERNATIVA - NIKE

LAZIO
2013 - MACRON

LAZIO
2013 - VISITANTE - MACRON

LIVORNO
2013 - LEGEA

LIVORNO
2013 - VISITANTE - LEGEA

NAPOLI
2013 - MACRON

NAPOLI
2013 - VISITANTE - MACRON

PARMA
2014 - ERREA

PARMA
2014 - VISITANTE - ERREA

SAMPDORIA
2013 - KAPPA

SASSUOLO
2013 - SPORTIKA

TORINO
2013 - KAPPA

UDINESE
2013 - LEGEA

VERONA
2014 - ALTERNATIVA - NIKE

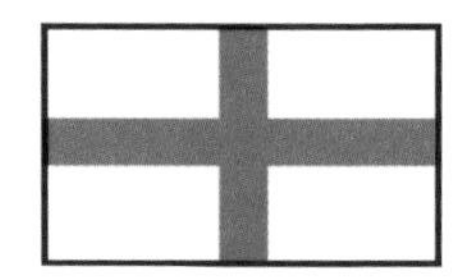

Inglaterra

SELECCIÓN NACIONAL
2013 - NIKE

SELECCIÓN NACIONAL
2013 - VISITANTE - NIKE

ARSENAL
2013 - NIKE

ARSENAL
2013 - VISITANTE - NIKE

ASTON VILLA
2014 - MACRON

ASTON VILLA
2014 - VISITANTE - MACRON

CARDIFF CITY
2014 - PUMA

CHELSEA
2014 - ADIDAS

CHELSEA
2014 - VISITANTE - ADIDAS

CRYSTAL PALACE
2014

EVERTON
2014 - NIKE

FULHAM
2013 - VISITANTE - KAPPA

HULL CITY
2014 - ADIDAS

LIVERPOOL
2014 - WARRIOR

LIVERPOOL
2014 - VISITANTE - WARRIOR

MANCHESTER CITY
2014 - NIKE

MANCHESTER CITY
2013 - ALTERNATIVA - UMBRO

MANCHESTER UNITED
2014 - NIKE

NEWCASTLE UNITED
2013 - PUMA

NEWCASTLE UNITED
2014 - VISITANTE - PUMA

NORWICH CITY
2014 - ERREA

NORWICH CITY
2013 - VISITANTE - EREA

SOUTHAMPTON
2014 - ADIDAS

SOUTHAMPTON
2014 - VISITANTE - ADIDAS

STOKE CITY
2014 - VISITANTE - ADIDAS

SUNDERLAND
2014 - ADIDAS

SUNDERLAND
2014 - VISITANTE - ADIDAS

SWANSEA CITY
2014 - ADIDAS

SWANSEA CITY
2014 - VISITANTE - ADIDAS

TOTTENHAM HOTSPUR
2013 - UNDER ARMOUR

WEST BROMWICH ALBION
2014 - VISITANTE - ADIDAS

WEST HAM UNITED
2014 - ADIDAS

WEST HAM UNITED
2014 - VISITANTE - ADIDAS.

Francia

SELECCIÓN NACIONAL
2013 - NIKE

SELECCIÓN NACIONAL
2013 - VISITANTE - NIKE

AJACCIO
2013 - DUARIG

AJACCIO
2013 - VISITANTE - DUARIG

AS MONACO
2014 - MACRON

AS MONACO
2013 - VISITANTE - MACRON

AS SAINT-ÉTIENNE
2014 - ADIDAS

AS SAINT-ÉTIENNE
2014 - VISITANTE - ADIDAS

ÉVIAN THONON GAILLARD
2013 - KAPPA

ÉVIAN THONON GAILLARD
2013 - VISITANTE - KAPPA

FC LORIENT
2014 - MACRON

FC LORIENT
2013 - VISITANTE - MACRON

FC NANTES
2014 - ERREA

FC SOCHAUX
2014 - LOTTO

GIRONDINS BORDEAUX
2013 - PUMA

GIRONDINS BORDEAUX
2014 - VISITANTE - PUMA

GUINGAMP
2014 - PATRICK

LILLE OSC
2013 - UMBRO

LILLE OSC
2013 - VISITANTE - UMBRO

MONTPELLIER HSC
2014 - NIKE

OGC NICE
2014 - BURRDA

OLYMPIQUE LYONNAIS
2014 - ADIDAS

OLYMPIQUE DE MARSEILLE
2014 - ADIDAS

OLYMPIQUE DE MARSEILLE
2014 - VISITANTE - ADIDAS

PARIS SAINT-GERMAIN
2014 - NIKE

PARIS SAINT-GERMAIN
2013 - VISITANTE - NIKE

RENNES
2014 - PUMA

RENNES
2013 - VISITANTE - PUMA

SC BASTIA
2014 - KAPPA

SC BASTIA
2014 - ALTERNATIVA - KAPPA

STADE DE REIMS
2013 - HUMMEL

TOULOUSE FC
2014 - KAPPA

VALENCIENNES
2014 - UHLSPORT

Holanda

SELECCIÓN NACIONAL
2013 - NIKE

SELECCIÓN NACIONAL
2013 - VISITANTE - NIKE

ADO DEN HAAG
2013 - ERREA

ADO DEN HAAG
2013 - VISITANTE - ERREA

AJAX
2013 - ADIDAS

AJAX
2013 - VISITANTE - ADIDAS

ALKMAAR ZAANSTREEK
2013 - MACRON

FC GRONINGEN
2013 - KLUPP

FC GRONINGEN
2013 - VISITANTE - KLUPP

FC TWENTE
2013 - NIKE

FC UTRECHT
2013 - HUMMEL

FEYENOORD
2013 - PUMA

FEYENOORD
2013 - VISITANTE - PUMA

HERACLES ALMELO
2013 - ERIMA

NAC BREDA
2013 - VISITANTE - PATRICK

NEC
2013 - JAKO

PEC ZWOLLE
2013 - PATRICK

PSV EINDHOVEN
2013 - NIKE

PSV EINDHOVEN
2013 - VISITANTE - NIKE

SC HEERENVEEN
2013 - JAKO

VITESSE
2013 - NIKE

VITESSE
2013 - VISITANTE - NIKE

VVV-VENLO
2013 - VISITANTE - MASITA

WILLEM II
2013 - MACRON

Ucrania

SELECCIÓN NACIONAL
2013 - ADIDAS

DNIPRO DNIPROPETROVSK
2013 - ALTERNATIVA - NIKE

HOVERLA UZHHOROD
2013 - VISITANTE - ADIDAS

SHAKHTAR DONETSK
2013 - NIKE

VOLYN LUTSK
2013 - VISITANTE - ADIDAS

FC ZORYA LUHANSK
2013 - NIKE

Bélgica

SELECCIÓN NACIONAL
2013 - BURRDA

SELECCIÓN NACIONAL
2013 - VISITANTE - BURRDA

AA GENT
2013 - JAKO

ANDERLECHT
2013 - ADIDAS

BEERSCHOT AC
2013 - MASITA

CERCLE BRUGGE
2013 - MASITA

CHARLEROI
2013 - JARTAZI

CLUB BRUGGE
2013 - PUMA

KV MECHELEN
2013 - KAPPA

LIERSE SK
2013 - JAKO

LOKEREN
2013 - VISITANTE - JARTAZI

OH LEUVEN
2013 - VERMARC

RACING GENK
2013 - NIKE

STANDARD LIÈGE
2013 - JOMA

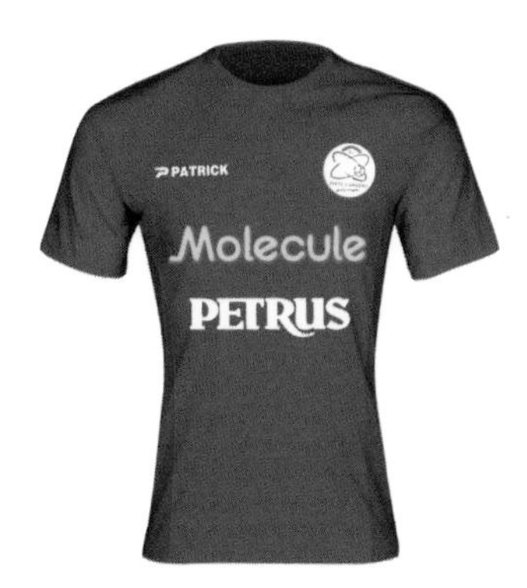

ZULTE WAREGEM
2013 - PATRICK

Turquía

SELECCIÓN NACIONAL
2013 - NIKE

AKHISAR BELEDIYESPOR
2013 - VISITANTE - NIKE

BESIKTAS
2013 - VISITANTE - ADIDAS

BURSASPOR
2013 - ALTERNATIVA - PUMA

BÜYÜKSEHIR BLD. SPOR
2013 - VISITANTE - NIKE

BÜYÜKSEHIR BLD. SPOR
2013 - ALTERNATIVA - NIKE

ELAZIGSPOR
2013 - UMBRO

FENERBAHÇE
2013 - ADIDAS

GALATASARAY
2013 - NIKE

GENÇLERBIRLIGI
2013 - ALTERNATIVA - LOTTO

KASIMPASA
2013 - LOTTO

KAYSERISPOR
2013 - ALTERNATIVA - ADIDAS

MERSIN IDMANYURDU
2013 - HUMMEL

ORDUSPOR
2013 - VISITANTE - UMBRO

TRABZONSPOR
2013 - NIKE

Grecia

SELECCIÓN NACIONAL
2013 - ADIDAS

AEK ATHENS
2013 - PUMA

ARIS SALONIKI
2013 - VISITANTE - UNDER ARMOUR

ARIS SALONIKI
2013 - ALTERNATIVA - UNDER ARMOUR

ASTERAS TRIPOLIS
2013 - ALTERNATIVA - NIKE

ATROMITOS ATHINON
2013 - HUMMEL

LEVADIAKOS
2013 - HUMMEL

OLYMPIACOS
2013 - PUMA

PANATHINAIKOS
2013 - ADIDAS

PANATHINAIKOS
2013 - ALTERNATIVA - ADIDAS

PANIONIOS
2013 - ALTERNATIVA - TEMPO

PANTHRAKIKOS
2013 - JOMA

PAS GIANNENA
2013 - ALTERNATIVA - LOTTO

PLATANIAS
2013 - MACRON

XANTHI
2013 - ALTERNATIVA

Portugal

SELECCIÓN NACIONAL
2013 - NIKE

SELECCIÓN NACIONAL
2013 - VISITANTE - NIKE

ACADÉMICA COIMBRA
2013 - NIKE

BENFICA
2013 - ADIDAS

BENFICA
2013 - VISITANTE - ADIDAS

CD NACIONAL
2013 - HUMMEL

CS MARÍTIMO
2013 - LACATONI

CS MARÍTIMO
2013 - ALTERNATIVA - LACATONI

FC PAÇOS DE FERREIRA
2013 - LACATONI

FC PAÇOS DE FERREIRA
2013 - VISITANTE - LACATONI

FC PORTO
2013 - NIKE

FC PORTO
2013 - ALTERNATIVA - NIKE

GD ESTORIL PRAIA
2013 - JOMA

GIL VICENTE FC
2013 - ALTERNATIVA - MACRON

MOREIRENSE
2013 - LACATONI

MOREIRENSE
2013 - VISITANTE - LACATONI

RIO AVE FC
2013 - LACATONI

SC BEIRA-MAR
2013 - HUMMEL

SC OLHANENSE
2013 - LACATONI

SC OLHANENSE
2013 - VISITANTE - LACATONI

SPORTING BRAGA
2013 - MACRON

SPORTING CP
2013 - PUMA

SPORTING CP
2013 - VISITANTE - PUMA

VITÓRIA GUIMARÃES
2013 - ALTERNATIVA - LACATONI

Rumania

SELECCIÓN NACIONAL
2013 - ADIDAS

CFR 1907 CLUJ
2013 - JOMA

DINAMO BUCURESTI
2013 - NIKE

OTELUL GALATI
2013 - MASITA

STEAUA BUCURESTI
2013 - NIKE

STEAUA BUCURESTI
2013 - VISITANTE - NIKE

Rusia

SELECCIÓN NACIONAL
2013 - ADIDAS

ALANIA VLADIKAVKAZ
2013 - UMBRO

AMKAR PERM
2013 - VISITANTE - PUMA

ANZHI MAKHACHKALA
2013 - ADIDAS

CSKA MOSCOW
2013 - ADIDAS

DYNAMO MOSCOW
2013 - ADIDAS

FC ROSTOV
2013 - JOMA

KRYLIA SOVETOV
2013 - ALTERNATIVA - UMBRO

LOKOMOTIV MOSCOW
2013 - PUMA

LOKOMOTIV MOSCOW
2013 - VISITANTE - PUMA

RUBIN KAZAN
2013 - UMBRO

SPARTAK MOSCOW
2013 - NIKE

SPARTAK MOSCOW
2013 - VISITANTE - NIKE

TEREK GROZNY
2013 - ADIDAS

ZENIT SAINT PETERSBURG
2013 - NIKE

República Checa

SELECCIÓN NACIONAL
2013 - ADIDAS

SELECCIÓN NACIONAL
2013 - VISITANTE - .ADIDAS

SLAVIA PRAHA
2013 - UMBRO

SLAVIA PRAHA
2013 - VISITANTE - UMBRO

SPARTA PRAHA
2013 - .NIKE

SPARTA PRAHA
2013 - VISITANTE - NIKE

Suiza

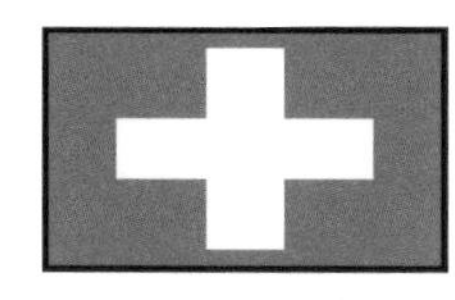

SELECCIÓN NACIONAL
2013 - PUMA

BSC YOUNG BOYS
2013 - JAKO

FC BASEL
2013 - ADIDAS

FC SION
2013 - ERREA

FC ZÜRICH
2013 - NIKE

GRASSHOPPERS
2013 - PUMA

Dinamarca

SELECCIÓN NACIONAL
2013 - ADIDAS

SELECCIÓN NACIONAL
2013 - VISITANTE - ADIDAS

AALBORG BK
2013 - ADIDAS

AALBORG BK
2013 - VISITANTE - ADIDAS

AC HORSENS
2013 - HUMMEL

AGF AARHUS
2013 - HUMMEL

AGF AARHUS
2013 - VISITANTE - HUMMEL

AGF AARHUS
2013 - ALTERNATIVA - HUMMEL

BRØNDBY IF
2013 - HUMMEL

BRØNDBY IF
2014 - VISITANTE - HUMMEL

ESBJERG FB
2013 - NIKE

ESBJERG FB
2013 - VISITANTE - NIKE

ESBJERG FB
2013 - ALTERNATIVA - NIKE

FC KØBENHAVN
2013 - ADIDAS

FC KØBENHAVN
2013 - ALTERNATIVA - ADIDAS

FC MIDTJYLLAND
2014 - WUNDERELF

FC MIDTJYLLAND
2014 - VISITANTE - WUNDERELF

FC NORDSJÆLLAND
2014 - H2O

FC NORDSJÆLLAND
2014 - VISITANTE - DIADORA

FC VESTSJAELLAND
2013 - NIKE

ODENSE BK
2014 - PUMA

RANDERS FC
2013 - WARRIOR

SONDERJYSKE
2013 - DIADORA

VIBORG FF
2013 - KAPPA

Noruega

SELECCIÓN NACIONAL
2013 - UMBRO

LILLESTRØM SK
2013 - LEGEA

ROSENBORG BK
2013 - ADIDAS

SANDNES ULF
2013 - NIKE

STABÆK FOTBALL
2013 - LEGEA

TROMSØ IL
2013 - PUMA

Croacia

SELECCIÓN NACIONAL
2013 - NIKE

CIBALIA
2013 - JAKO

DINAMO ZAGREB
2013 - ALTERNATIVA - PUMA

ISTRA 1961
2013 - PUMA

NK OSIJEK
2013 - JAKO

RNK SPLIT
2013 - JAKO

Suecia

SELECCIÓN NACIONAL
2013 - ADIDAS

SELECCIÓN NACIONAL
2013 - VISITANTE - ADIDAS

AIK
2013 - ADIDAS

AIK
2013 - VISITANTE - ADIDAS

ÅTVIDABERGS FF
2013 - UHLSPORT

BK HÄCKEN
2013 - NIKE

DJURGÅRDENS IF
2013 - ADIDAS

DJURGÅRDENS IF
2013 - VISITANTE - ADIDAS

GAIS
2013 - PUMA

GEFLE IF
2013 - UMBRO

GIF SUNDSVALL
2013 - ADIDAS

HALMSTADS BK
2013 - PUMA

HAMMARBY IF
2013 - KAPPA

HELSINGBORGS IF
2013 - PUMA

IF BROMMAPOJKARNA
2013 - ADIDAS

IF ELFSBORG
2013 - UMBRO

IFK GÖTEBORG
2013 - ADIDAS

IFK NORRKÖPING
2013 - PUMA

KALMAR FF
2013 - PUMA

MALMÖ FF
2013 - PUMA

MJÄLLBY AIF
2013 - UMBRO

ÖREBRO SK
2013 - PUMA

ÖSTERS IF
2013 - UMBRO

SYRIANSKA FC
2013 - NIKE

Finlandia

SELECCIÓN NACIONAL
2013 - ADIDAS

SELECCIÓN NACIONAL
2013 - VISITANTE - ADIDAS

FC HONKA
2013 - UMBRO

FC LAHTI
2013 - JOMA

FF JARO
2013 - ERREA

HJK
2013 - ADIDAS

HJK
2013 - VISITANTE - ADIDAS

IFK MARIEHAMN
2013 - PUMA

INTER TURKU
2013 - NIKE

JJK
2013 - NIKE

KUPS
2013 - PUMA

MYPA
2013 - PUMA

ROPS
2013 - ADIDAS

TPS
2013 - PUMA

VPS
2013 - NIKE

El resto de Europa

AUSTRIA
2013 - PUMA

BOSNIA-HERZEGOVINA
2013 - VISITANTE - LEGEA

BULGARIA
2013 - KAPPA

HUNGRÍA
2013 - ADIDAS

KAZAJISTÁN
2013 - ADIDAS

MALTA
2013 - GIVOVA

MONTENEGRO
2013 - LEGEA

IRLANDA DEL NORTE
2013 - ADIDAS

POLONIA
2013 - NIKE

REPÚBLICA DE IRLANDA
2013 - UMBRO

ESCOCIA
2013 - ADIDAS

SERBIA
2013 - NIKE

ESLOVAQUIA
2013 - PUMA

ESLOVENIA
2013 - VISITANTE - NIKE

GALES
2013 - VISITANTE - UMBRO

Brasil

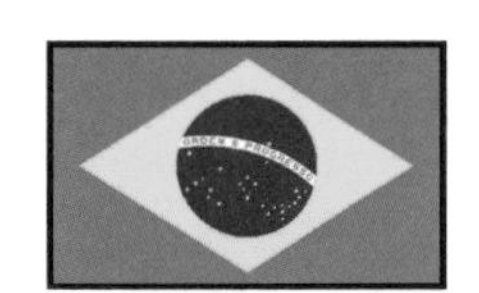

SELECCIÓN NACIONAL
2013 - NIKE

SELECCIÓN NACIONAL
2013 - VISITANTE - NIKE

ATLÉTICO MINEIRO
2013 - LUPO SPORT

ATLÉTICO PARANAENSE
2013 - UMBRO

BOTAFOGO
2013 - PUMA

CORINTHIANS
2013 - NIKE

CORINTHIANS
2013 - VISITANTE - NIKE

CORITIBA
2013 - NIKE

CRICIUMA
2013 - VISITANTE - KANXA

CRUZEIRO
2013 - OLYMPIKUS

CRUZEIRO
2013 - VISITANTE - OLYMPIKUS

ESPORTE CLUBE BAHIA
2012 - NIKE

ESPORTE CLUBE BAHIA
2012 - VISITANTE - NIKE

FLAMENGO
2013 - ADIDAS

FLAMENGO
2013 - VISITANTE - ADIDAS

FLUMINENSE
2013 - ADIDAS

FLUMINENSE
2013 - VISITANTE - ADIDAS

GOIAS
2013 - PUMA

GOIAS
2013 - VISITANTE - PUMA

GRÊMIO
2013 - TOPPER

GRÊMIO
2013 - VISITANTE - TOPPER

INTERNACIONAL
2013 - NIKE

NÁUTICO
2013 - PENALTY

NÁUTICO
2013 - VISITANTE - PENALTY

PONTE PRETA
2013 - PULSE

PORTUGUESA
2013 - LUPO SPORT

PORTUGUESA
2013 - VISITANTE - LUPO SPORT

SANTOS
2013 - NIKE

SÃO PAULO
2013 - PENALTY

SÃO PAULO
2013 - VISITANTE - PENALTY

VASCO DA GAMA
2013 - PENALTY

VITORIA
2013 - PENALTY

VITORIA
2013 - VISITANTE - PENALTY

Argentina

SELECCIÓN NACIONAL
2012 - ADIDAS

SELECCIÓN NACIONAL
2012 - VISITANTE - ADIDAS

ALL BOYS
2012 - ALTERNATIVA - BALONPIE

ARGENTINOS JUNIORS
2012 - VISITANTE - OLYMPIKUS

ARSENAL
2012 - LOTTO

ARSENAL
2012 - ALTERNATIVA - LOTTO

ATLÉTICO RAFAELA
2012 - VISITANTE - AR

ATLETICO BELGRANO
2012 - ALTERNATIVA - LOTTO

BOCA JUNIORS
2012 - NIKE

BOCA JUNIORS
2012 - VISITANTE - NIKE

COLÓN (SANTA FE)
2012 - UMBRO

COLÓN (SANTA FE)
2012 - VISITANTE - UMBRO

ESTUDIANTES (LA PLATA)
2012 - VISITANTE - ADIDAS

GODOY CRUZ
2012 - VISITANTE - LOTTO

INDEPENDIENTE
2012 - PUMA

LANÚS
2012 - OLYMPIKUS

NEWELL'S OLD BOYS
2012 - VISITANTE - TOPPER

QUILMES
2012 - ALTERNATIVA - LOTTO

RACING CLUB
2012 - VISITANTE - OLYMPIKUS

RACING CLUB
2012 - ALTERNATIVA - OLYMPIKUS

RIVER PLATE
2012 - ADIDAS

RIVER PLATE
2012 - VISITANTE - ADIDAS

RIVER PLATE
2012 - ALTERNATIVA - ADIDAS

SAN LORENZO
2012 - VISITANTE - LOTTO

SAN LORENZO
2012 - ALTERNATIVA - LOTTO

SAN MARTÍN (SAN JUAN)
2012 - MITRE

SAN MARTÍN (SAN JUAN)
2012 - VISITANTE - MITRE

SAN MARTÍN (SAN JUAN)
2012 - ALTERNATIVA - MITRE

TIGRE
2012 - KAPPA

UNIÓN (SANTA FE)
2012 - TBS

UNIÓN (SANTA FE)
2012 - VISITANTE - TBS

VÉLEZ SARSFIELD
2012 - TOPPER

VÉLEZ SARSFIELD
2012 - ALTERNATIVA - TOPPER

Chile

SELECCIÓN NACIONAL
2012 - PUMA

ANTOFAGASTA
2012 - TRAINING

COBRESAL
2012 - LOTTO

HUACHIPATO
2012 - MITRE

PALESTINO
2012 - TRAINING

CD UNIVERSIDAD DE CONCEPCIÓN
2012 - PENALTY

Ecuador

SELECCIÓN NACIONAL
2013 - MARATHON

BARCELONA
2013 - MARATHON

DEPORTIVO QUITO
2013 - FILA

EL NACIONAL
2013 - LOTTO

EMELEC
2013 - WARRIOR

LDU DE QUITO
2013 - UMBRO

México

SELECCIÓN NACIONAL
2013 - ADIDAS

SELECCIÓN NACIONAL
2013 - VISITANTE - ADIDAS

ATLANTE
2013 - KAPPA

ATLANTE
2013 - VISITANTE - KAPPA

ATLANTE
2013 - ALTERNATIVA - KAPPA

ATLAS
2013 - NIKE

ATLAS
2013 - VISITANTE - NIKE

CD LÉON
2013 - PIRMA

CD LÉON
2013 - ALTERNATIVA - PIRMA

CF AMÉRICA
2013 - NIKE

CF AMÉRICA
2013 - VISITANTE - NIKE

CF AMÉRICA
2013 - ALTERNATIVA - NIKE

CF PACHUCA
2013 - NIKE

CF PACHUCA
2013 - VISITANTE - NIKE

CLUB TIJUANA
2013 - NIKE

CRUZ AZUL
2013 - UMBRO

GUADALAJARA
2013 - ADIDAS

JAGUARES DE CHIAPAS
2013 - JOMA

JAGUARES DE CHIAPAS
2013 - VISITANTE - JOMA

MONARCAS
2013 - NIKE

MONTERREY
2013 - NIKE

MONTERREY
2013 - VISITANTE - NIKE

MONTERREY
2013 - ALTERNATIVA - NIKE

PUEBLA
2013 - PIRMA

PUMAS UNAM
2013 - PUMA

QUERÉTARO
2013 - PIRMA

SAN LUIS
2013 - PIRMA

SANTOS LAGUNA
2013 - PUMA

SANTOS LAGUNA
2013 - VISITANTE - PUMA

TIGRES
2013 - ADIDAS

TIGRES
2013 - VISITANTE - ADIDAS

TOLUCA
2013 - UNDER ARMOUR

TOLUCA
2013 - ALTERNATIVA - UNDER ARMOUR

Colombia

SELECCIÓN NACIONAL
2012 - ADIDAS

CHICÓ FC
2012 - WALON

CÚCUTA
2012 - FSS

CÚCUTA
2012 - VISITANTE - FSS

ENVIGADO
2012

JUNIOR
2012 - VISITANTE - PUMA

LA EQUIDAD
2012

MILLONARIOS
2012 - VISITANTE - ADIDAS

PASTO
2012 - VISITANTE - KEUKA

PATRIOTAS
2012 - FSS

REAL CARTAGENA
2012 - LOTTO

REAL CARTAGENA
2012 - ALTERNATIVA - LOTTO

ITAGÜÍ
2012 - FSS

ITAGÜÍ
2012 - ALTERNATIVA - FSS

TOLIMA
2012 - MITRE

Uruguay

SELECCIÓN NACIONAL
2012 - PUMA

BELLA VISTA
2012 - MGR SPORT

CENTRAL ESPAÑOL
2012 - MATGEOR

CERRO LARGO
2012 - VISITANTE - MASS

DANUBIO
2012 - MASS

DEFENSOR
2012 - PENALTY

EL TANQUE SISLEY
2012 - MGR SPORT

FÉNIX
2012 - VISITANTE - MGR SPORT

JUVENTUD
2012 - MENPI

LIVERPOOL
2012 - MGR SPORT

MONTEVIDEO WANDERERS
2012 - MGR SPORT

NACIONAL
2012 - UMBRO

PEÑAROL
2012 - ALTERNATIVA - PUMA

PROGRESO
2012 - MATGEOR

RACING CM
2012 - VISITANTE - MASS

Estados Unidos

SELECCIÓN NACIONAL
2013 - NIKE

SELECCIÓN NACIONAL
2013 - VISITANTE - NIKE

CHICAGO FIRE
2013 - ADIDAS

CHICAGO FIRE
2013 - VISITANTE - ADIDAS

CHIVAS USA
2013 - ADIDAS

COLORADO RAPIDS
2013 - ADIDAS

COLORADO RAPIDS
2013 - VISITANTE - ADIDAS

COLUMBUS CREW
2013 - ADIDAS

COLUMBUS CREW
2013 - VISITANTE - ADIDAS

DC UNITED
2013 - ADIDAS

DC UNITED
2013 - VISITANTE - ADIDAS

FC DALLAS
2013 - ADIDAS

FC DALLAS
2013 - VISITANTE - ADIDAS

HOUSTON DYNAMO
2013 - ADIDAS

LA GALAXY
2013 - ADIDAS

LA GALAXY
2013 - VISITANTE - ADIDAS

MONTREAL IMPACT
2013 - ADIDAS

MONTREAL IMPACT
2013 - ALTERNATIVA - ADIDAS

NEW ENGLAND REVOLUTION
2013 - ADIDAS

NEW YORK RED BULLS
2013 - ADIDAS

NEW YORK RED BULLS
2013 - VISITANTE - ADIDAS

PHILADELPHIA UNION
2013 - ADIDAS

PHILADELPHIA UNION
2013 - VISITANTE - ADIDAS

PORTLAND TIMBERS
2013 - ADIDAS

PORTLAND TIMBERS
2013 - VISITANTE - ADIDAS

REAL SALT LAKE
2013 - ADIDAS

REAL SALT LAKE
2013 - VISITANTE - ADIDAS

SAN JOSE EARTHQUAKES
2013 - ADIDAS

SEATTLE SOUNDERS
2013 - ADIDAS

SEATTLE SOUNDERS
2013 - VISITANTE - ADIDAS

SPORTING KANSAS CITY
2013 - ADIDAS

TORONTO FC
2013 - ADIDAS

VANCOUVER WHITECAPS
2013 - ADIDAS

El resto de América

ANTIGUA Y BARBUDA
2013 - PEAK

BELICE
2013 - VISITANTE - ALTERNATIVA

BOLIVIA
2013 - WALON

CANADÁ
2013 - UMBRO

COSTA RICA
2013 - LOTTO

CUBA
2013 - ADIDAS

EL SALVADOR
2013 - MITRE

GUATEMALA
2013 - UMBRO

HONDURAS
2013 - JOMA

JAMAICA
2013 - KAPPA

PANAMÁ
2013 - LOTTO

PARAGUAY
2013 - ADIDAS

PERÚ
2013 - UMBRO

TRINIDAD Y TOBAGO
2013 - ADIDAS

VENEZUELA
2013 - ADIDAS

Túnez

SELECCIÓN NACIONAL
2013 - BURRDA SPORT

CA BIZERTIN
2013 - UHLSPORT

CLUB AFRICAIN
2013 - LEGEA

CS SFAXIEN
2013 - NIKE

ESPÉRANCE SPORTIVE DE TUNIS
2013 - NIKE

ETOILE SPORTIVE DU SAHEL
2013 - MACRON

Mali

SELECCIÓN NACIONAL
2013 - AIRNESS

AS RÉAL
2013

DJOLIBA
2013

ONZE CRÉATEURS
2013 - LEGEA

STADE MALIEN
2013

USFAS
2013

Marruecos

SELECCIÓN NACIONAL
2013 - ADIDAS

CR AL HOCEIMA
2013

FAR RABAT
2013 - UHLSPORT

RAJA CASABLANCA
2013 - LOTTO

RENAISSANCE DE BERKANE
2013 - ADIDAS

WYDAD CASABLANCA
2013

Argelia

SELECCIÓN NACIONAL
2013 - PUMA

CR BÉLOUIZDAD
2013 - JOMA

CS CONSTANTINE
2013 - KCS

ES SÉTIF
2013 - JOMA

JS KABYLIE
2013 - ADIDAS

MC ALGER
2013 - JOMA

Costa de Marfil

SELECCIÓN NACIONAL
2013 - PUMA

AFRICA SPORTS
2013

ASEC MIMOSAS
2013

ASI D'ABENGOUROU
2013

CO KORHOGO
2013 - MADSPORT

DENGUELÉ SPORT
2013 - PUMA

DJÉKANOU
2013 - PUMA

EFYM
2013 - ADIDAS

ES BINGERVILLE
2013

JCA
2013 - PUMA

SC GAGNOA
2013

SÉWÉ SPORT
2013 - MASS

SOA
2013

STELLA D´ADJAMÉ
2013 - UHLSPORT

USC BASSAM
2013 - ADIDAS

Sudáfrica

SELECCIÓN NACIONAL
2013 - PUMA

SELECCIÓN NACIONAL
2013 - VISITANTE - PUMA

AJAX CAPE TOWN
2013 - ADIDAS

AMAZULU
2013 - VISITANTE - ADIDAS

BLACK LEOPARDS
2013 - VISITANTE - KAPPA

BLOEMFONTEIN CELTIC
2013 - REEBOK

BLOEMFONTEIN CELTIC
2013 - VISITANTE - REEBOK

FREE STATE STARS
2013 - VISITANTE - MAXED

KAIZER CHIEFS
2013 - NIKE

KAIZER CHIEFS
2013 - ALTERNATIVA - NIKE

MAMELODI SUNDOWNS
2013 - VISITANTE - NIKE

MOROKA SWALLOWS
2013 - VISITANTE - PUMA

ORLANDO PIRATES
2013 - ADIDAS

PLATINUM STARS
2013 - UMBRO

PRETORIA UNIVERSITY
2013 - VISITANTE - UMBRO

Egipto

SELECCIÓN NACIONAL
2013 - ADIDAS

AL AHLY CAIRO
2013 - ADIDAS

AL ITTIHAD
2013 - DIADORA

ARAB CONTRACTORS
2013 - UMBRO

PETROJET
2013 - UMBRO

ZAMALEK
2013 - ADIDAS

El resto de África

ANGOLA
2013 - ADIDAS

BENIN
2013 - AIRNESS

BOTSWANA
2013 - UMBRO

BURKINA FASO
2013 - PUMA

CAMEROON
2013 - PUMA

CAPE VERDE
2013 - TEPA

CONGO
2013 - UHLSPORT

RD DEL CONGO
2013 - ERREA

ETIOPÍA
2013 - ADIDAS

GABON
2013 - PUMA

GHANA
2013 - PUMA

GUINEA
2013 - AIRNESS

KENYA
2013 - KELME

LESOTHO
2013 - BASUTOLAND INK

MALAWI
2013 - PUMA

MOZAMBIQUE
2013 - LOCATONI

NAMIBIA
2013 - PUMA

NIGER
2013 - TOVIO

NIGERIA
2013 - ADIDAS

RWANDA
2013 - ADIDAS

SENEGAL
2013 - PUMA

TANZANIA
2013 - UHLSPORT

TOGO
2013 - PUMA

ZAMBIA
2013 - NIKE

Corea del Sur

SELECCIÓN NACIONAL
2013 - NIKE

SELECCIÓN NACIONAL
2013 - VISITANTE - NIKE

BUSAN I´PARK
2013 - PUMA

CHUNNAM DRAGONS
2013 - KELME

DAEJEON CITIZEN
2013 - KAPPA

FC SEOUL
2013 - LE COQ SPORTIF

GANGWON FC
2013 - ASTORE

GYEONGNAM FC
2013 - VISITANTE - HUMMEL

INCHEON UNITED
2013 - LE COQ SPORTIF

JEJU UNITED
2013 - VISITANTE - KIKA

JEONBUK HYUNDAI MOTORS FC
2013 - HUMMEL

POHANG STEELERS
2013 - ATEMI

SEONGNAM ILHWA CHUNMA
2013 - UHLSPORT

SUWON SAMSUNG BLUEWINGS
2013 - ADIDAS

ULSAN HYUNDAI HORANGI
2013 - DIADORA

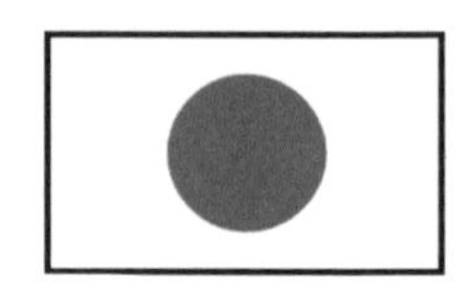

Japón

SELECCIÓN NACIONAL
2013 - ADIDAS

SELECCIÓN NACIONAL
2013 - VISITANTE - ADIDAS

ALBIREX NIIGATA
2013 - ADIDAS

ALBIREX NIIGATA
2013 - VISITANTE - ADIDAS

CEREZO OSAKA
2013 - MIZUNO

CEREZO OSAKA
2013 - VISITANTE - MIZUNO

FC TOKYO
2013 - ADIDAS

FC TOKYO
2013 - VISITANTE - ADIDAS

JÚBILO IWATA
2013 - PUMA

JÚBILO IWATA
2013 - VISITANTE - PUMA

KASHIMA ANTLERS
2013 - NIKE

KASHIMA ANTLERS
2013 - VISITANTE - NIKE

KASHIWA REYSOL
2013 - YONEX

KAWASAKI FRONTALE
2013 - PUMA

KAWASAKI FRONTALE
2013 - VISITANTE - PUMA

NAGOYA GRAMPUS EIGHT
2013 - LE COQ SPORTIF

NAGOYA GRAMPUS EIGHT
2013 - VISITANTE - LE COQ SPORTIF

OITA TRINITA
2013 - PUMA

OMIYA ARDIJA
2013 - UNDER ARMOUR

SAGAN TOSU
2013 - WARRIOR

SAGAN TOSU
2013 - VISITANTE - WARRIOR

SANFRECCE HIROSHIMA
2013 - NIKE

SANFRECCE HIROSHIMA
2013 - VISITANTE - NIKE

SHIMIZU S-PULSE
2013 - PUMA

SHIMIZU S-PULSE
2013 - VISITANTE - PUMA

SHONAN BELLMARE
2013 - PENALTY

URAWA RED DIAMONDS
2013 - NIKE

URAWA RED DIAMONDS
2013 - ALTERNATIVA - NIKE

VEGALTA SENDAI
2013 - OASICS

VENTFORET KOFU
2013 - MIZUNO

VENTFORET KOFU
2013 - VISITANTE - MIZUNO

YOKOHAMA F MARINOS
2013 - ADIDAS

YOKOHAMA F MARINOS
2013 - VISITANTE - ADIDAS

Australia

SELECCIÓN NACIONAL
2013 - NIKE

BRISBANE ROAR
2013 - PUMA

CENTRAL COAST MARINERS
2013 - KAPPA

MELBOURNE VICTORY
2013 - VISITANTE - ADIDAS

PERTH GLORY
2013 - BLADES

SYDNEY FC
2013 - ADIDAS

Uzbekistán

SELECCIÓN NACIONAL
2013 - JOMA

MASH'AL MUBAREK
2013 - ADIDAS

NAVBAHOR NAMANGAN
2013 - ADIDAS

NEFTCHI FERGANA
2013 - ADIDAS

PAKHTAKOR TASHKENT
2013 - ADIDAS

PAKHTAKOR TASHKENT
2013 - ALTERNATIVA - ADIDAS

RP de China

SELECCIÓN NACIONAL
2013 - ADIDAS

BEIJING GUO'AN
2013 - NIKE

CHANGCHUN YATAI
2013 - NIKE

DALIAN AERBIN
2013 - NIKE

GUANGZHOU EVERGRANDE
2013 - NIKE

GUANGZHOU R&F
2013 - NIKE

GUIZHOU RENHE
2013 - NIKE

HANGZHOU GREENTOWN
2013 - NIKE

JIANGSU SAINTY
2013 - NIKE

QINGDAO JONOON
2013 - NIKE

SHANDONG LUNENG
2013 - NIKE

SHANGHAI SHENHUA
2013 - NIKE

SHANGHAI SIPG
2013 - NIKE

TIANJIN TEDA
2013 - NIKE

WUHAN ZALL
2013 - NIKE

Malasia

SELECCIÓN NACIONAL
2013 - NIKE

SELECCIÓN NACIONAL
2013 - VISITANTE - NIKE

DARUL TAKZIM FC
2013 - ALTERNATIVA - KAPPA

KELANTAN
2013 - WARRIORS

PAHANG
2013 - STOBI

SELANGOR
2013 - KAPPA

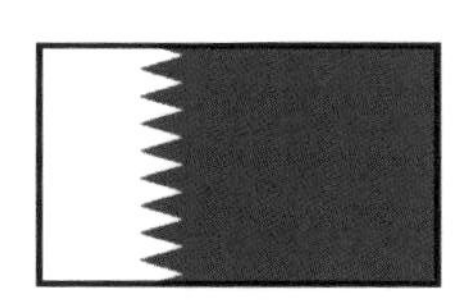

Qatar

SELECCIÓN NACIONAL
2013 - NIKE

AL GHARRAFA
2013 - ERREA

AL SADD
2013 - BURRDA SPORT

AL WAKRA
2013 - NIKE

LEKHWIYA
2013 - BURRDA SPORT

QATAR SC
2013 - ADIDAS

El resto de Asia

BRUNEI DARUSSALAM
2013 - LOTTO

HONG KONG
2013 - NIKE

INDIA
2013 - NIKE

INDONESIA
2013 - NIKE

IRAK
2013 - VISITANTE - PEAK

LAOS
2013 - ALTERNATIVA - FBT

MACAU
2013 - UCAN

NUEVA ZELANDA
2013 - NIKE

OMÁN
2013 - TAJ

PAKISTÁN
2013 - VISION

SINGAPUR
2013 - VISITANTE - NIKE

TADJIKISTÁN
2013 - ALTERNATIVA - LI-NING

EMIRATOS ÁRABES UNIDOS
2013 - ERREA

VIETNAM
2013 - VISITANTE - NIKE

YEMEN
2013 - ADIDAS

Índice por nombres de clubes

Contenido

Créditos de las imágenes

Portada: Portada y solapa derecha (de izquierda a derecha, arriba de izquierda a derecha, abajo): ©Brasil; ©Camerún; ©Inter Milan; ©Galatasaray; ©Real Madrid; ©NEC; ©Japón; ©Croacia; ©FC Barcelona; ©Argentina; ©Boca Juniors; ©España; ©URSS; ©Borussia Dortmund; ©Olympique de Marseille; ©Estados Unidos; ©FC Porto; ©Kaiser Chiefs; ©Antofagasta; ©Inter Milan; ©Charleroi; ©México; ©Bayern München; ©Chelsea; ©River Plate; ©Juventus; ©Cobresal; ©VVV-Venlo; ©Holanda; ©Zenit Saint Petersburg; ©Juventus; ©Corinthians; ©Paris Saint-Germain; ©Ajax; ©Chicó FC; ©Noruega. Solapa izquierda y contraportada (de izquierda a derecha, arriba de izquierda a derecha, abajo): ©Camerún; ©Mamelodi Sundowns; ©FC Barcelona; ©Bloemfontein Celtic; ©AC Milan; ©Sudáfrica; ©Black Leopards; ©Ajax; ©Volyn Lutsk; ©Paris Saint-Germain; ©San Martín (San Juan); ©San Lorenzo; ©Palestino; ©Juventus; ©Santos; ©Quilmes; ©Kasimpasa; ©Borussia Dortmund; ©Beerschot AC; ©Francia; ©Al Gharrafa; ©Vélez Sarsfield; ©FC Barcelona; ©Lierse SK; ©Krylia Sovetov; ©Spartak Moskva; ©Aris Saloniki; ©All Boys; ©Club Africain; ©Vitoria Guimaraes; ©Olympique de Marseille; ©PAS Giannena; ©ASI d'Abengourou; ©Mali; ©Celtic; ©Amazulu; ©Portugal; ©Akhisar Belediyespor; ©SC Heerenveen; ©Inter Milan; ©CS Maritimo; ©Ado Den Haag; ©PSV Eindhoven; ©Djoliba.

Página 6: ©Central Press/Getty Images; **10:** ©Bob Thomas/Getty Images; **16:** ©Fifa.com; **17**: ©Ullstein Bild/Roger-Viollet; **18-19:** ©DR; **22-23**: ©Shaun Botterill/AFP; **25:** ©Gabriel Bouys/AFP; **28**: ©Getty Images; **29**: ©BBoris Streubel/Bongarts/Getty Images; **30-31:** ©DPA; **35:** ©Bob Thomas/Getty Images; **36-37:** ©DR; **41:** ©Popperfoto/Getty Images; **45:** ©Presse Sports; **46:** ©Presse Sports; **47:** ©Iso Sport/Icon Sport; **51:** ©Pics United/Presse Sports; **52-53:** ©PPG/Icon Sport; **57:** ©Shaun Botterill/Getty Images; **61** (de izquierda a derecha, arriba de izquierda a derecha, abajo): ©Bob Thomas/Getty Images, ©Rick Stewart/Getty Images, ©Billy Stickland/Getty Images, ©David Cannon/Getty Images; **65** (de izquierda a derecha, arriba de izquierda a derecha, abajo): ©Aldo Liverani/Icon Sport, ©Bob Thomas/Getty Images, ©Bob Thomas/Getty Images, ©Aldo Liverani/Icon Sport; **69:** ©Henri Szwarc/Bongarts/Getty Images; **73:** ©Henri Szwarc/Bongarts/Getty Images; **77:** ©Bob Thomas/Getty Images; **81:** ©Robert Beck /Sports Illustrated/Getty Images; **85:** ©Junko Kimura/Getty Images; **86-87:** ©Richiardi/Presse Sports; **88:** ©DR; **90:** ©Photoshot/Icon Sport; **91:** ©Jean Michel Bancet/Icon Sport; **92:** ©Other Images/Icon Sport; **97:** ©Rondeau/Presse Sports; **98-99:** ©Sportmedia/Icon Sport; **103:** ©Mike Hewitt/AFP; **104-105:** ©Denis Doyle/AFP; **108:** ©PPG/Icon Sport; **109:** ©Rue des Archives/AGIP; **113:** ©Mike Hewitt/AFP; **114-115:** ©SPI/Icon Sport; **119:** ©Getty Images Sport; **120:** ©Olivier Morin/AFP; **121:** ©Salvatore Giglio/Massimo Sestini/Presse Sports; **125:** ©VI-Images/Getty Images; **129:** ©Vladimir Rys/Bongarts/Getty Images; **130-131:** ©Franck Faugère/Presse Sports; **135:** ©PPG/Icon Sport; **139:** ©Estela Silva/epa/Corbis; **140:** ©John Peters/Man Utd via Getty Images; 142: ©Photoshot/Icon Sport; 143: ©Action Images/Presse Sports; 144-145: ©Pierre Minier/Icon Sport; 149: ©Federico Gambarini/dpa/Corbis; 152: ©Enrique Marcarian/Reuters; **157:** ©Matthias Hangst/Witters/Presse Sports; **160-161:** ©Vladimir Rys/Bongarts/Getty Images; **163:** ©Gunnar Berning/Bongarts/Getty Images; **166:** ©PPG/Icon Sport; **167:** ©DR; **168:** ©David Price/Arsenal FC via Getty Images; **170:** ©Getty Images; **171:** ©Stuart MacFarlane/Arsenal FC; **175:** ©Presse Sports; **179:** ©Amandine Noel/Icon Sport; **180:** ©LatinContent/Getty Images.